It is what i

Dolf Jansen

It is what it is

Afwijkende Amerikaanse observaties

Uitgeverij Thomas Rap
Amsterdam
2006

Inhoud

Inleiding

Tijdens de onvergetelijke zomer van 2006 begon het me op te vallen dat ik gedurende onze reis door de vs en Canada eigenlijk erg veel aan het schrijven was. Niet alleen 'het boek over hardlopen' dat ik vanaf het begin als excuus (reden?) voor onze reis en lange afwezigheid uit Nederland had gebruikt, maar ook tientallen columns, een paar langere verhalen (een barre zeiltocht, een week op een *houseboat* ver van enige beschaving of menselijke nederzetting überhaupt), een stapel gedichten en liedteksten. Veel, en velerlei, dus.

Dus wierp ik in een mailtje aan mijn onvolprezen uitgeverij op dat het wellicht aardig zou zijn al dat moois te bundelen.

Dus bleek dat zij dat eigenlijk een heel aardig idee vonden.

Dus werd er een titel bedacht, *It is what it is*, en een ondertitel: Afwijkende Amerikaanse Observaties, en er werd een voorkantfoto geschoten (heerlijk als je met je eigen fotograaf op reis bent). En dus schreef ik gewoon door.

Voor het weekblad *Banen* van *de Volkskrant* en *Havana* en vele andere plekken op papier en internet waar ruimte voor mij wordt vrijgehouden. Wekelijks, maandelijks, onregelmatig of volgens keiharde deadlinelijstjes.

Eind augustus waren we thuis en bekeek ik wat bijna acht maanden 'afwijkend observeren' eigenlijk opgeleverd had. (Tussendoor zag ik op dvd een stand-up show van Tommy Tiernan, Ier en erg grappig. Hij beschrijft een jeugdvriendje dat slechts één oog had en waarmee hij ook nog scheel keek... kijk, Jansen, dat is afwijkend observeren!) Het viel me niet tegen, maar het is ook vervreemdend om op een regenachtige middag begin september op je werkzoldertje zo'n hele reis in columns, verhalen en gedichten langs te zien flitsen. Zeker toen ik dankzij mijn vriendin het functieknopje had gevonden dat ervoor zorgde dat alles meteen mooi op chronologische volgorde kwam te staan. Dan ga je echt zo van spelen met je band op Curaçao (eind januari) naar Cheneys mislukte jachtpartij (half februari), van de *Grand Canyon of misery and despair* die New Orleans heet (april, maar onlangs tijdens de herdenking aldaar bleek er nog niet veel veranderd) tot aan een zandkastelenwedstrijd waarin ik wederom de Nederlandse eer niet echt hoog wist te houden (eind juli). Wat een plekken, wat gebeurt er een hoop, wat valt er een hoop te observeren. Wat dwing je jezelf vaak tot nadenken, door erover te schrijven.

En wat vreselijk jammer dat ik geen foto van mezelf heb met slechts één, scheel (!), oog.

O ja, als deze bundel aan iemand opgedragen durft te worden, is het aan mijn reisgenoten Cian, Aike en Jeni.

Waarom?

Waarom reizen we, of, simpeler gezegd, waarom reis ik? Waarom ben ik op reis?

Omdat mijn vriendin het wil, dat zal het simpele antwoord wel zijn. En daar zit niemand op te wachten, op simpele antwoorden. Hoe waar ze heel soms ook kunnen zijn. (Jaren geleden, ik spreek van de vroege jaren negentig van de vorige eeuw, speelde ik met Lebbis een theaterprogramma dat *Goedkope Oplossingen* heette, en dat ging daarover, over simpele antwoorden uit de mond van politici. En ik geef hier hartgrondig toe dat ik absoluut niet voorzien had dat een jaar of tien later de gehele Nederlandse politiek vergeven zou zijn van de simpele antwoorden, de taal van de straat, de mensen in het land, de borreltafel en alles wat daaruit voort kan komen...)

En waarom ik, na maanden van touren met de neus van het Nederlandse cabaret, in mijn eerste hardbevochten vrije week aan hem refereer? Wel hierom: Toen ik gisteravond in ons fijne huisje op Lagoen Hill, Bonaire, even de tv aanzette, trof ik BVN of iets dergelijks, een station voor Hollanders *all over the world*, met programma's uit het vaderland die ze anders zouden moeten missen... en wat werd er, die avond uitgeserveerd, tussen *FC de Kampioenen* en *Studio Sport* in? Jazeker, *oh my god*, Lebbis' laatste solo *W2P*. Dus, ofwel, afijn, dankzij een stukje gezamenlijke planning ga ik dus naar dit Caraïbisch eilandenrijk, en hij zoveel mogelijk naar het andere fukking einde van de globe, Tasmanië geloof ik, of dat Libanese strand net buiten Sydney, en ik heb nog geen vierentwintig uur later mijn benen op een welverdiende tafel, of de Leb is op tv. Op mijn tv!

Terwijl ik op reis ben om... o ja, dat was de vraag.)

Omdat mijn vrouw en kinderen het willen, is dat wat? Zij wegens een immer doorgaande zoektocht naar *photo opportunities*, het nageslacht omdat ze het idee hebben dat ze op de stranden van de Antillen en Californië, en de bergen van Colorado en Canada een hele berg ervaringen gaan opdoen die ze in ons rustieke dorpje langs de Amstel vast zouden missen. Plus het scheelt zo'n 20 graden Celsius, gemiddeld, per dag. Vandaag overigens wel 26. Zodat ik hier zwetend achter het appeltje zit, na een duurloop van 16 kilometer die me zeker twee liter vocht kostte.

Goed, oké, ongeveer, min of meer... Ik ga schrijven, heel veel schrijven, en best veel lopen, en lesgeven (vanochtend had mijn dochter nul fout bij rekenen, en ik weet dat zeker want ik had het antwoordenboekje!) en rust en ruimte creëren, in mijn hoofd, in mijn leven, om me heen. Dat is denk ik waar ik naar op zoek ben. Ruimte. En als ik die gevonden heb, kan ik stoppen met reizen. Voorlopig ben ik nog niet uitgezocht.

Op reis

De hardloper is niet gemaakt om te reizen. Althans, te reizen in vliegtuigen over lange afstanden, te reizen in files over langdurige afstanden. Dat is echt niks voor de hardloper. En toch, en toch... We reizen wat af, we zitten wat af op ongemakkelijke autostoelen, we vouwen ons wat dubbel in vliegtuigstoelen, we kraken en steunen en proberen ons te ontspannen, we hopen dat de hamstrings niet nog stijver worden dan ze eerlijk gezegd al zijn (na de heuveltraining van gisteren).

We reizen, vaak omdat we niet anders kunnen, omdat we ergens móéten zijn, en soms echt om ergens (uit) te komen waar we graag wíllen zijn, ergens waar we nooit eerder geweest zijn. En hoewel de filosoof zegt dat de tocht altijd mooier is dan de aankomst, is me de afgelopen twee dagen duidelijk geworden dat ik even geen filosoof was. Want zo'n tocht (van twee dagen, inderdaad) is leuk en aardig, maar de filosoof was even vergeten dat er ook gelopen moet worden. Denk ik.

Gisterochtend vond ik mezelf terug in een buitenwijk van Miami (op zich een stad waar ik ooit 's wilde zijn, omdat zowel U2 als Counting Crows er een nummer aan wijdde), in het slechtste Best Western Hotel van het noordelijk halfrond, met nog anderhalf uur te gaan voordat de reis naar het vliegveld, en daarmee naar Puerto Rico en Bonaire, zou beginnen. Dus ik lopen: langs een redelijk doorgaande weg, met een onwaarschijnlijke stroom van suv's en andere Hummer-achtigen... Ik weet dat Amerikanen aan ernstig overgewicht lijden, maar zijn dat nou echt de enige auto's waar ze in passen? Een kwartier later liep ik overigens langs een weg waar alle truckers van Florida zich klaarblijkelijk op vrijdagochtend verzamelen om te kijken wie de goorste stofwolk kan blazen over een mannetje in zwarte *tight* en felgeel shirtje. Niet lekker, maar toch lekker gelopen. Zeker na een dag gedwongen rust, doorgebracht in verschillende van die eerdergenoemde vliegtuigstoelen, die ooit ontworpen moeten zijn door iemand die dacht dat alleen de leden van het slangenmensteam van het Koreaans Staatscircus zo gek zouden zijn om in een zilveren vogel de oceaan over te steken. Dus wat deed ik? Uurtje zitten, knieën gezellig onder de oksels, 'maaltijdje' nuttigen, wat lezen, en dan maar weer 's opstaan, in het gangpad ter breedte van twee dikbelegde boterhammen, stukje rondlopen, wat oefeningen doen (twintig keer op de tenen totdat de kuiten het wel weer mooi vinden, tien keer de tenen naar de scheen trekken, wat rondjes draaien in de enkel, quadriceps rekken) en dan de zwaarste oefening van alles: weer in je stoel gaan zitten. En dit was dan nog in een redelijk serieus toestel met drie van die cijfers in de naam... Naar Bonaire kwamen we in een toestel te zitten waar opstaan, laat staan wat oefeningetjes doen, wegens dreigende balansverstoring een week van tevoren in meervoud bij de captain aangevraagd had moeten dienen te worden. Dankie!

Maar goed, pas over ruim een week reis ik verder, dus dat is eerst acht keer lopen, en dan 's kijken hoe soepel het lichaam nog, of toch, is.

Samen

Eind 2005 wist onze regering zich (even? voorlopig?) uit een lastig parket te redden. De kwestie-Afghanistan. Zullen we (moeten we) troepen sturen naar onrustige gebieden aldaar? Waarbij het lastige van het parket was dat de meerderheid tegen leek, althans als D66 zich geheel tegen haar gewoonte in zich aan haar eerdere standpunt zou houden.

De feitelijke beslissing werd uitgesteld, vermoedelijk met het idee dat ofwel D66 zou vergeten wat ze eerder vond, laat staan waarom, ofwel dat de wereldvrede eindelijk zou uitbreken.

Nu zijn we drie, vier weken verder, en is de kwestie terug in het nieuws. Want er moet toch wat besloten worden, en de legerleiding staat te trappelen om 'onze jongens' op het vliegtuig te zetten, en de regering blijft (in meerderheid) vinden dat we ons internationale steentje moeten bijdragen, en de regering van de Verenigde Staten verwacht dat wij dat zullen doen. En dat wordt ons dezer dagen op diplomatieke wijze duidelijk gemaakt.

Nou gaat het me niet om de beslissing in deze kwestie, en hoe die zal worden recht-geredeneerd, het gaat me om de samenwerking tussen landen, tussen de Verenigde Staten en Nederland bijvoorbeeld, in de wereldwijde oorlog tegen terreur, zoals we die sinds een jaar of vier kennen. En voeren.

Die strijd lijkt me gerechtvaardigd, terreur is niet meer of minder dan (met grof geweld) angst aanjagen en op die manier doelen zien te bereiken die klaarblijkelijk op een andere manier niet te bewerkstelligen zijn. Dood, verderf, angst, onschuldige slachtoffers, actie en reactie, afijn, u kent de beelden.

En dus strijden we tegen terreur, waarbij 'we' de democratische landen zijn, in het Westen meestal, en over het algemeen ook nog eens rijk en groot en sterk. En toch bang, vaak, en kansloos, soms, tegen de onverwacht opduikende terreur. Al was het maar omdat je je niet kunt beschermen tegen geweld dat overal onaangekondigd kan opduiken, laat staan tegen een wanhoop die zo groot is dat zelfs het eigen leven opofferen om het grote doel te bereiken geregeld voorkomt. (Luister als u tijd heeft bijvoorbeeld eens naar het prachtige liedje 'The Island' van de Ierse zanger Paul Brady, waarin hij beschrijft [hoe] de autobom, het verscheurde wrak, het bloed van de slachtoffers '... will bring us all together in the end'.)

Die samenwerking dus, met het gerechtvaardigde doel om de wereld veiliger te maken, de angst zoveel mogelijk weg te nemen. Zou het nou niet redelijk zijn als die samenwerking was gebaseerd op wederzijds vertrouwen, eerlijkheid, zeker weten wat de doelen en de belangen zijn, openheid en zomeer? Ofwel, is het niet bijna per definitie onmogelijk samen te werken, als een van de partijen constant haar eigen plan trekt, haar eigen manier van werken heeft, liegt en bedriegt als het zo uitkomt, alle regels van beschaving met voeten treedt (zoals terroristen dat ook doen, inderdaad), en dan op andere momenten vindt dat er steun moet zijn, actie moet worden ondernomen, troepen moeten worden gestuurd?

Hoe kunnen we samenwerken als uit alles lijkt te blijken dat er gemarteld wordt, dat mensen (schuldig? onschuldig?) jaren zonder proces vastzitten, en dat over die dingen recht in ons gezicht gelogen wordt. En, om maar eens wat te noemen, hoe kunnen wij, kritische burgers, Balkenende en Bot nog serieus nemen als ze zich door een gesprek met en een paar glimlachjes van Condoleeca Rice 'volledig gerust laten stellen', wat betreft het Amerikaanse beleid? De geheime gevangenissen? De methodes van ondervraging?

Zou het niet prachtig zijn als we écht konden samenwerken. Zou het niet prachtig zijn als we, zelfs bij zoiets vreselijks als terreur, de kracht zouden kunnen vinden iets verder te kijken dan de oppervlakte (geweld, angst, repressie, maatregelen enzovoort), te kijken naar waar dit soort geweld en de dreiging echt vandaan komt, te kijken naar methodes die oorzaken zouden wegnemen, in plaats van geweld tegenover geweld te plaatsen en ons allemaal een schijnveiligheid te geven.

Schijnveiligheid. Schijnzekerheid. Schijnvrijheid.

Ik heb het idee dat we echt beter kunnen.

Waarom? (2)

Waarom staan er twee Nederlandse darters in de finale?

Waarom heb ik overal van die metalen wieken aan het plafond nodig, als die eigenlijk toch niks anders doen dan de zware warme lucht van hier naar daar draaien, en dan weer terug? (Ja, ik ben nog op Bonaire, en ja, het is nog/weer ruim 30 graden.)

Waarom gaan we toch naar Afghanistan?

Waarom spreken we niet eerst met bondgenoot de Verenigde Staten af dat we elkaar de waarheid zullen vertellen, over die strijd tegen terrorisme en die oorlog in Irak, over het ondervragen van verdachten en het bombarderen van dorpen in Pakistan, over 'inlichtingen' en 'informatie', over gevangenissen-overseas en martelen, over wat vrijheid eigenlijk betekent en hoe alleen kritiek een democratie in stand kan houden? Nou, over dat soort dingen dus, en dat we dan daarna 's gaan kijken waar we troepen naartoe moeten sturen, waar we wat kunnen uitrichten, waar de belangen duidelijk zijn. Of is die waaromvraag te lang en te ingewikkeld...? Voor onze regering.

Oké, een simpele dan nog: Waarom krijg ik hier telefonisch en anderszins flarden binnen van een groot schaatstoernooi, ergens in Noorwegen, waar eerst de schaatspakjes niet lekker zitten, dan de loting tegenvalt, dan het ijs smelt (omdat het buiten te koud is...) en dan de twee Nederlandse 'favorieten' vol tegen elkaar opbotsen, met alle rugpijn van dien? *What the* FUK *is happening?* En dat dan op zijn Noors... Als ik Shani Davis was zou ik zo hard moeten lachen dat mijn zwarte schmink in strepen van mijn gezicht liep, als ik Chad Hedrick was zou ik... nou, helemaal niks, vermoedelijk, want dan was ik aan het trainen, of aan het herstellen van de training, voor de volgende training.

Nou goed, tegen de tijd dat jij dit leest is er – denk ik – een Nederlander winnaar geworden bij het darten, een Noor bij het schaatsen, zitten 'we' in Afghanistan, en ben ik aan het testen of de warme lucht van Curaçao ook ronddraait. Volgende week komt mijn band over, en spelen we op het Jan Thiel Beach, alwaar de mensen een avond cabaret en stand-up comedy en poëzie en zomeer is beloofd, wat natuurlijk prachtig is, maar ik heb nog geen idee wat ik daar ga doen, eigenlijk, of de band wakker en nuchter en ingespeeld is, plus wie is of was Jan Thiel? En waarom heeft hij zijn eigen beach? Is het een vrijheidsstrijder, was het een slavenhandelaar, is het wellicht de huidige regent op het eiland? Of hadden we die alleen in Indonesië toen dat nog van ons was...?

Ik kreeg net een flyer van dat optreden per mail binnen, en las dat 'stagiaires korting krijgen'. Wie zijn dat? Wat stagiairen ze, daar? En waarom krijgen ze korting? Ik ben er nog lang niet uit, maar ik weet zeker dat dat volgende week allemaal anders kan zijn.

Kassie

Een van de weinige objecten die ik van mijn vriendin mee mocht nemen op onze reis – naast vier paar loopschoenen en dit laptopje, en kleding natuurlijk, en (zonne)brillen, en een paar boeken en wat lege notitieblokken, hoewel... leeg... gevuld met stapels en stapels 'beginnetjes' en regels en halve gedichten en hele ideetjes, maar dat weegt natuurlijk niks. Extra – was de Predator X33. Of de Patriot P12. Of een vergelijkbare naam. Met andere woorden: 'het kassie' dus. Een zwart, metalen apparaat met een stel draaiknoppen en een getallentoetsenbordje en een tiental ingangen. Voor zeker zoveel pluggen, stekkers, snoeren en zo meer. Er kan (moet) stroom in en een vaste telefoonlijn en een microfoon en een koptelefoon, en er kan een mobiele telefoon aan, maar dat hoeft niet, en een antenne en een klein model kernreactor, maar dat is niet waar. Denk ik. En het stelt mij, mits goed aangesloten en werkend, in staat om vanaf elke plek ter wereld radio te maken alsof ik (bijna) in Hilversum ben. Live, ook. En juist dat laatste is niet zo'n heel goed idee als je maanden lang verblijft op plekken waar het tijdsverschil met die eerder genoemde mediametropool tussen Laren en Hollandsche Rading altijd vijf tot negen uur bedraagt.

Auw! Dacht ik, afgelopen vrijdag, toen een wekkertjesgeluid mij wekte, zo rond half vijf (dat is 04.35 uur, dat is een tijdstip om thuis te komen nadat je de aandelen Grolsch een avond lang een paar punten in de goede richting hebt gezopen, dat is héél erg vroeg). Zodat ik, een minuut of tien heuvelafwaarts hiervandaan, vlak bij het strand van Zanzibar, nog voor vijf uur (tien uur), contact zou kunnen maken.

Het was nog donker, sterren straalden zoals sterren horen te stralen, en de beroemde radiomaker begaf zich op pad, met een plastic tasje met boterhammen en wat te drinken (er is op dat tijdstip geen catering bij Zanzibar) en wat muziekjes en zo onder de ene arm, en dit laptopje onder de andere. Eerder die nacht, halfwakker met een oog op mijn klokje – oooh, pas kwart over twee – hoorde ik vele honden blaffen, en zag ik mezelf op de verlaten asfaltweg in bloedig conclaaf met een Mastino Curaçaoano, maar dat bleef me bespaard. Ik bereikte mijn 'studio' en dacht terug aan mijn radiocarrière halverwege de jaren tachtig van de vorige eeuw: de ochtendshow (6-9) bij de Amsterdamse semi-piraat AFM, slechts één keer per week goddank, maar wel helemaal in Amsterdam-West, op een geleend racefietsje, met een vergelijkbaar plastic tasje met mondvoorraad, en met een hoop vinyl en muziekcassettes. En nu radio Zanzibar, maar dan op 3FM, en via een kassie, waar ik niets van begrijp, maar dat mij en mijn stem op de een of andere manier heel dicht bij Nederland weet te brengen. Ik wist elk plugje in het juiste gaatje te pluggen, er was stroom, ik wist het nummer van het verbindingscentrum, ik voelde dat het zou gaan lukken. Kon gaan lukken...

Putting the band back together...

Soms vind je jezelf terug op een plek die zó mooi is, met vrienden die je er zó graag bij wilt hebben, en dan nog een heerlijke temperatuur, en dik zeshonderd mens publiek, dat je je bijna gaat afvragen waar je dit allemaal aan te danken hebt. Bijna, want voor je het weet moet je een opperwezen gaan bedanken of gaan nadenken over het lot, of je gaan afvragen of je je niet wat zondiger moet gaan gedragen, voortaan, of noem-maar-op.

Ik heb er dus maar gewoon van genoten, afgelopen zaterdagavond, hier op Curaçao, op het strand van Jan Thiel (nog steeds geen idee wie dat is of was), bij Zanzibar (een soort café-restaurant-danshol aan bijna alle kanten omringd door zand of zee of beide), waar ik met mijn bandje mocht optreden. Soundchecken bij ondergaande zon, op een open podium met de rug letterlijk tegen de branding (direct achter de drumkit zit het trappetje waarmee je als snorkelaar het felblauwe water zou kunnen betreden, als je zou willen), daarna, iets verderop langs het water, pasta en bier en wijn en water, vervolgens een schoon shirtje aan en hopen dat de Antilliaanse aanvangstijd van half negen niet verder uitloopt dan half tien. Dat bleek te lukken, om negen uur twintig schoven we, nu in het pikdonker, met wat maanlicht en hier en daar wat schommelende peertjes, tussen publiek en waterkant door, wankel podiumtrapje op, podiumlampen aan, alle versterkers op 9 (om nog iets over te hebben voor later), en spelen. SPELEN. Direct voor ons zo'n driehonderd mensen op netjes geplaatste plastic stoelen, daarnaast en achter, mensen op ligstoelen, lounge chairs, op daken van gebouwtjes en containers, op de bar, staand in het zand en wellicht ook hier en daar hangend in of aan een palmboom; ik kon niet alles goed zien, wegens tegenlicht. Anderzijds kon ik de reactie van de zeshonderd wel weer heel goed horen, wegens tegenwind. Ik realiseerde me na tien minuten dat ik nog nooit tegen de wind in gespeeld had, maar ik vond het prachtig. Zoals het prachtig was om liedjes van onze laatste twee theatertours te spelen, twee oude lebjans-liedjes, en heel veel grappen daardoorheen te ouwehoeren over bolletjes, over resorts, mariniers (zoals de marineman die het verschil tussen marine-mannen en mariniers aan me uitlegde: 'Wij zijn heteroseksueel...'), Anthony Goddett en zijn zus, Brabanders, vrouwen, en de gevolgen van zowel een buikgriepvirus als een zeilregatta die deze week over het eiland trokken. Twee (3) regenbuitjes wisten mij niet van het podium te krijgen en de mensen niet van hun stoeltjes te jagen, en tegen het eind stonden we weer 'gewoon' onder de sterrenhemel te spelen.

En vandaag, zondag, liep ik een fijne duurloop, bij de Daaibooibaai, en stopte er een auto naast me, met twee vrouwen, jong, leuk, blond, om me te vertellen dat ze een topavond hadden gehad. Waar heb ik het aan verdiend...?

Charlotte

Er zijn mensen die alleen op vakantie aan lezen toekomen.

Er zijn mensen die eigenlijk nooit lezen, althans, die niet veel verder komen dan de hilarische teksten op hun pak hagelslag, en langs-de-weg-boodschappen als: U RIJDT TE HARD! Of: FILEVRIJ. Ik geef hier toe, het lijkt me een leeg en saai leven, zonder boeken, zonder lezen. Ik lees altijd. Kranten, tijdschriften, poëzie, gebruiksaanwijzingen, verhalen, songteksten, dikke boeken en soms nog dikkere, alles, altijd. Ik heb dus ook geen vakantie nodig om 'lekker te lezen'. Ik heb ook geen vakantie, deze maanden, ik ben op reis, en schrijf en lees en loop en lees en geniet en lees. En schrijf. En dat dan zeven maanden achtereen.

Het laatste (dikke) boek dat ik verorberde was de meest recente krachttoer van Tom Wolfe, bij lezers beroemd van boeken als *The Electric Kool-Aid Acid Test* en *A man in Full*, bij filmkijkers van *The Right Stuff* en *The Bonfire of Vanities*. En ja, inderdaad, de boeken waren een stuk beter...

Toen ik nog op een Antil verbleef (ondertussen is Californië bereikt), bleek de enige plek waar überhaupt wat boekvoer verkrijgbaar was, het vliegveldshopje te zijn. Waar ze ook petjes, lelijke souvenirs, oordopjes, plaatselijke kranten en opgezette 'tropieschen voogels' hadden. En een rekje met paperbacks dus, en wat was ik daar blij mee! Een paar thrillerachtigen gekocht, nog even met deel 1 en 2 van Clintons memoires in mijn hand gestaan, en toen onder in het rek *I am Charlotte Simmons* gevonden. Hoera! Stond op een van mijn vele lijstjes, naar aanleiding van een recensie of een interview, denk ik. Charlotte is een meisje uit de bergen, superintelligent en gedreven, en uiteindelijk slim genoeg om aan een van de topuniversiteiten van het land te mogen studeren. Niveau-Yale, niveau-Harvard, het niveau waar de top van de Nederlandse universiteiten en hogescholen wel eens van droomt na een heel goede fles rode wijn.

Dupont is groot en heeft historie, als je *a Dupont man* bent, ben je er al bijna, voor de rest van je leven. Een carrière wacht je, invloed, geld, macht zelfs. Je moet alleen even die vier jaar door, en je cijfers zien te scoren. Terwijl je onwaarschijnlijke hoeveelheden bier drinkt en tracht alles te bestijgen met een hartslag. Behalve natuurlijk als je basketballer bent, dan wordt alles voor je geregeld, tot aan je *grades* toe, of als je Charlotte Simmons heet, en eigenlijk nog nooit iets hebt meegemaakt. Het verhaal is een prachtige opeenstapeling van mensen, uitwassen, verwikkelingen, hoop en wanhoop, liefde, lust en eenzaamheid, en uiteindelijk gaat het, denk ik, over erbij horen. Bij die Dupont-wereld, bij *the fraternity*, bij de zuipers en de neukers, bij *the athletes*, bij de studieneuzen. Erbij horen, ergens bij horen, is dat uiteindelijk niet altijd waar het om draait?

Super

Als u dacht dat Turijn *the place to be* is, de Olympische Winter-spelen het kampioenschap der kampioenschappen ook, dan was u duidelijk niet op 5 februari in Detroit, of op enig andere plek op het Amerikaanse vasteland. 5 Februari, Ford Stadion, Detroit, SuperBowl XL, waarbij XL zou kunnen staan voor 'onwaarschijnlijk groot' maar in dit geval 'veertig' betekent. Het was namelijk de veertigste keer in deze beschaving dat de twee sterkste American Football-teams van de vs, en daarmee van de wereld en het ons bekende heelal, tegenover elkander stonden. Voor de grootste meest bekeken meest besproken sportwedstrijd van allemaal. Althans, als je je op het Ameri-kaanse vasteland bevindt (of op enige plek ter wereld waar het Amerikaanse leger actief is). Pittsburgh tegen Seattle ditmaal, ofwel de Steelers tegen de Seahawks.

Ik keek, ergens in Californië, met mijn gezin zo'n drie uur met openvallende monden naar dit spektakel met helmen en schoudervullingen, en we waren niet de enigen... zo'n 104 mil-joen Amerikanen keken mee. En ik moet toegeven, ik dacht van tevoren dat dat Amerikaanse gevoetbal toch vooral een ex-cuus was om zoveel mogelijk commercials uit te zenden, en heel hard 'woeoeoew!' te roepen met een Bud Lite in de ene, en een dubbele cheeseburger in de andere hand. En dat is ook wel zo, maar het is toch ook een fascinerend schouwspel, en wel topsport ook, eigenlijk. De loepzuivere *passes*, de keiharde *blocks* (bijvoorbeeld als je dat raar gevormde balletje hebt we-ten te vangen, na een pass over zeg 50 meter – in yards is dat nog verder! – en als er dan twee mannen van gemiddeld 120 kilo met hun volle gewicht, en met volle snelheid ook, je in je rug raken en je een meter of tien buiten de lijnen deponeren. Inclusief 'bal' en helm en schoudervullingen, en je die flits aan je voorbij ziet trekken van wat vermoedelijk je leven was), de *fumbles* (dat is de 'bal' laten vallen op een moment dat zeker 30 miljoen Amerikanen maar één ding hopen: HOU DIE BAL VAST!).

De *quarterback* passt, de spelers lopen de meest ingewikkelde (van tevoren bedachte!) patronen over het veld, en langzaam maar zeker nadert de *touchdown*. Of niet. Wegens een time-out (commercials), onderbreking anderszins (commercials), *halftime* (de Rolling Stones live, maar eerst commercials) of een aangevochten beslissing, met een speciale scheidsrechter die zijn eigen tv-schermpje heeft en de macht alles ongedaan te maken. *Total recall*, zoiets. Maar eerst commercials. Waarvan ik zeker driekwart aan mijn kinderen moest uitleggen, maar die vaak erg grappig waren. (Blikje cola met een P krijgt filmrol, tegenover Jacky Chan, maar eist *stuntdouble*; op het moment dat hij volstrekt in elkaar gebeukt gaat worden komt die stuntdouble in beeld: een blikje cola met een C) Prachtige sport, soms, topamusement, meestal. En Pittsburgh won, terwijl wij voor Seattle waren, en de MVP (beste speler van de wedstrijd) kreeg een automobiel waar ik nog niet opgebaard in zou willen liggen. Terwijl ik dit schrijf is er twee uur nabeschouwing, maar eerder vandaag, aan het eind van mijn training, zag ik een vader met zijn zoontje het strand opkomen, met een bal en een bruine vanghandschoen. Die waren alweer klaar voor de volgende *favourite passtime*, van dit prachtige, vreselijke land.

Verhaal

Ik vertel een verhaaltje. Een verhaal. Het is geen leuk verhaal, maar het moet wel even verteld worden.

Het gaat over een boot, ergens in een haven, en de mensen die met die boot meewillen. Tachtig mensen, ongeveer. Ze komen uit verschillende dorpen, en steden van het grote arme land. Ze hebben er alles voor over om met die boot mee te kunnen. Letterlijk. Ze hebben alles verkocht wat ze hadden, en dat was al niet veel, ze hebben schulden gemaakt, ze hebben misschien beloftes gedaan, leugens verteld, gestolen of erger, met dat ene doel. Deze boot. Mee met deze boot.

Ze betalen een bedrag voor een plekje op de boot, een bedrag dat groter is dan ze zich ooit hebben kunnen voorstellen, het is meer geld dan ze ooit bij elkaar gezien hebben. Maar op de een of andere manier is het ze gelukt. Ze hebben het bedrag bij elkaar gekregen, ze hebben alles en iedereen achter zich gelaten, en nu wacht de boot. En de tocht.

Waar de tocht precies heen zal leiden weten ze niet, maar zeker is dat ze dit land achter zich gaan laten, en dat ze ergens zullen komen waar het beter is, ergens waar ze kansen zullen hebben, waar het leven wel te leven is. Weg uit deze armoede, weg uit deze kansloosheid, op weg naar een echte toekomst. Op deze boot.

De boot vertrekt. Twee mannen zijn de baas, over de boot, over de mensen, de tachtig zitten opeengepropt op de houten vloer en hopen er het beste van. Na een paar uur is er de dorst, een paar uur later de honger. De twee mannen hebben genoeg te eten en te drinken, zo te zien, de tachtig delen wat ze hebben:

wat gedroogd fruit, wat brood, een paar plastic flessen met lauw water.

Als de eerste nacht overgaat in een grauwige ochtend, is het lauwe water op en komt de dorst harder aan dan ooit. De 'stuurman' en de 'kapitein' manen iedereen tot rust: de reis verloopt voorspoedig, morgen zullen ze hun bestemming bereiken. Of overmorgen.

In de twee, drie dagen erna blijkt de boot, de boot die ze allen zo graag wilden bereiken, de boot die hen weg zou voeren uit de wanhoop, de boot die hun een toekomst zou geven, die boot blijkt een hel. Een hel op de golven van een oneindige oceaan. Een paar kinderen sterven, geluidloos huilend en volledig uitgedroogd, een paar mannen springen overboord omdat ze het niet meer aankunnen, vrouwen drinken zeewater en sterven een halfuur later verkrampend van de pijn.

Uiteindelijk rest slechts de stilte, soms onderbroken door gejammer, soms onderbroken door een plotselinge uitbarsting van agressie. De ene kansloze zeereiziger tegen de andere. Een paar keer verdwijnt de verliezer overboord. De 'kapitein' en de 'stuurman' houden hun hand bij hun wapen, en beloven dat ze er nu echt bijna zijn.

Bijna...

Bijna...

Na een week, of twee weken, bereikt de boot een haven. Vijfenzestig opvarenden zijn er nog, min of meer. En zes doden. Tijdens de tocht zijn nog acht mensen overleden, en zes overboord gesprongen. De boot legt aan, de vijfenzestig worden meegenomen, omdat ze illegaal het land probeerden binnen te komen, de boot verdwijnt een paar dagen later weer uit de haven, op naar een volgende tocht.

Een vreselijk verhaal, inderdaad. En er is, door mij, geen woord van verzonnen. Het stond namelijk, in een wat zakelijker versie, een paar weken geleden in de krant. Ook in uw krant. Buitenlandpagina, klein berichtje net onder de vouw. 'Twintig voornamelijk Somalische vluchtelingen zijn van honger en dorst omgekomen toen ze per boot van Somalië naar Jemen vluchtten. Dat heeft de VN-vluchtelingenorganisatie UNHCR in Genève bekend gemaakt (...).'

Nou weet ik absoluut niet precies hoe de wereld in elkaar zit, maar als Jemen het land is waar je naartoe vlucht, dan denk ik dat je het niet best hebt op de plek waar je bent. Helemaal niet best.

Maar waar het me nou eigenlijk om gaat is het volgende: we weten dat dit gebeurt, we weten dat we een wereld in stand houden die zo in elkaar zit. We lezen het in de krant.

We noemen het economie of internationale afspraken, maar uiteindelijk rest, volgens mij, niet meer of minder dan onrecht. En dat in stand houden. En weten dat je dat doet. En daar op de een of andere manier mee kunnen leven.

Legoooo

Dat had ik nou niet verwacht. Hiero, *just a few miles down the road. Just around the corner*, eigenlijk. LEGOLAND. Ja, ik zeg LEGO-LAND. Waarbij het eerste van die geinige hardplastic blokjes zijn, waarmee je echt alles kunt bouwen, en het tweede een groot omhekt felgekleurd gebied is, met heel heel veel van dat eerste. Alles, eigenlijk, ja, eigenlijk alles, is daar van Lego. En het is een pretpark en dus is de rest van de ruimte gereserveerd voor cafetaria's en andere snack-opties. En wc's natuurlijk voor iedereen die net daarvoor naar een van de snack-opties is geweest. Prachtig, natuurlijk. Wat zeg ik...? *Awesome! Fantástic!*

Dus daar bevond ik me, een paar dagen geleden. Vraag me niet hoe dat soort dingen gaan, mijn column zou te kort zijn. Het begon met een parkeerplaats ter grootte van een kleine provinciestad, maar dat moet ook wel, want je ziet eerlijk gezegd nauwelijks auto's hier die kleiner zijn dan een bestelbus. Een landrover. Een tank. Gelukkig maar dat George Bush nu doorheeft dat de Amerikanen echt wat minder olie moeten gaan verbruiken...

Het goede nieuws was dat de P grotendeels leeg was, behalve het deel voor 'reserved parking' (dan betaal je het dubbele en sta je vlak bij de ingang, waar ook invaliden mogen parkeren, maar als het hoogseizoen is... fuk de inva's!). Bij de ingang stonden oude mannen, prachtig natuurlijk dat die hier een baantje hebben, maar ik bedoel echt oud... die van ons heette Jim (het is niet anders) en hij leek me een veteraan van alles vanaf de Eerste Golfoorlog terug tot D-Day. Eerste Wereldoorlog in overleg. Dat is dus oud. Maar we hadden geen haast om binnen te komen. Ik zeker niet. Want binnen is dus echt alles van Lego, en dat gaat je perceptie beïnvloeden. Tot aan het moment dat je het raar vindt dat de borsten van je vriendin niet van Lego zijn. Er waren paarden van Lego, die '*wieiew!*' zeiden, en moeders daar weer bij die natuurlijk '*woeoew!*' krijsten, en een jungle (Lego) waar je doorheen mocht treinen (Lego), waar ze de lucht van Artis op een zomerdag in hadden weten te changeren, en fietsjes (Lego), zwanen (Lego), MiniLand (Madurodam, maar dan van de States, en natuurlijk van Lego), en een rijlesgebiedje, waar je je Lego-rijbewijs kon halen. Dat klonk ongeveer zo: WALK TO YOUR CAR! FASTEN YOUR SEAT-BELTS! TURN AROUND IN YOUR SEAT! RAISE YOUR HAND WHEN YOUR BELT IS FASTENED! NO SPEEDING, NO CRASHES, NO U-TURNS! THIS IS NOT A RACE, THIS IS A TEST! NOW HAVE FUN!

Ik belandde in een bootje (van Lego, wat dacht je dan?), bestuurd door mijn dochter, die bleek te sturen zoals ik zwem: blinde paniek, geen richtingsgevoel en nog maar net boven water. En was heel verbaasd toen bleek dat mijn lunch uit een broodje en een latte bestond, zonder enige Lego *at all*. Maar mijn mooiste moment kwam bij een attractie waarbij stond 'niet voor oudere mensen of mensen met een fysieke beperking'. Viel ik zomaar in alle categorieën die niet naar binnen mochten... Volgende week gaan we nog een keer.

Vandaag

(1 april 2006 in *AD Magazine*)

Premier Balkenende heeft vanochtend om acht uur het ontslag van zijn kabinet aangeboden aan Hare Majesteit de Koningin

Alle dierentuinen van ons land zijn vandaag gratis toegankelijk, als althans de volwassene in het gezelschap doet alsof-ie een ijsbeer is (denk hierbij aan ijsberenpak, of -geluid, of -lucht)

Op de Dam in Amsterdam staan vanmiddag om 15.00 uur 100 schaars geklede prachtige vrouwen, die een geheel gratis all-in massage aanbieden aan de eerste 100 mannen die zich daar melden

Dito in Rotterdam, op het plein voor het Feyenoord Stadion, maar dan met resp. mannen (schaars gekleed) en vrouwen (eerste 100)

Alle kantoren van de Sociale Dienst in Nederland zijn vandaag telefonisch bereikbaar, zonder wachttijd, voor iedereen die vindt dat zijn/haar uitkering eigenlijk te laag is

Iedereen die vandaag tussen 12.00 en 22.00 uur het privénummer van een van de *Idols*-juryleden belt, en luid begint te zingen, heeft komend jaar gegarandeerd een plekje in *Idols*

Joop, de uitbater van snackbar 'Vette hap' in Leeuwarden, heeft nog tientallen kaartjes voor alle wedstrijden van Oranje in Duitsland, ook voor de finale... Joop is vanaf 12.00 uur in zijn zaak aanwezig

U2 speelt vanavond om 21.00 uur in de Nieuwe Pul in Uden, er zijn nog kaarten!

Sorry, maar ik heb het idee dat er een klein groen kwakend beestje in uw anus zit...

Ik ben zojuist ontslagen als columnist van *AD Magazine**

---

* Binnen twee maanden na het verschijnen van deze column werd het *AD Magazine* opgeheven. En dat is wel echt waar.

Arie Ribbens

De woestijn doet rare dingen met een mens. Weet ik nu.

Afgelopen weekend reed ik met vriend M door de Mojave Desert, uur na uur. Einddoel: Joshua Tree National Park, bedevaartstocht van de fotograaf en de U2-(I will-)follower. Denk bomen, denk Anton Corbijn, denk januari 1986, denk aan mij... vooral.

M reed, ik las kaart, en zo waren we in de Mojave Desert terechtgekomen. '29 Palms: 68 miles', dan weet je waar je aan toe bent. De zon brandde, de huur-Toyota – op zijn rijbewijs en mijn creditcard, en dan raak je echt in het onderste echelon van car-rental verzeild, kan ik je verzekeren – pruttelde lustig door, het water was bijna op, en M vertelde me dingen die ik niet wist. Maar als M praat kom je er niet tussen, en ik al helemaal niet.

'Arie Ribbens heeft hier dus jarenlang getourd, in de jaren zeventig en tachtig. Die man had een geluid dat ze hier helemaal niet kenden, ik bedoel, hier zaten ze met die cokeneuzen van Fleetwood Mac en de Eagles en zo, en hij kwam met die hoempa-baslijntjes, en dat op-en-neerritme, en die volstrekt onbegrijpelijke teksten, die hij dan ook nog vaak in een soort Engels liet vertalen. "*Turn left in Alabama*" is gewoon "Bij Hoevelaken rechtsaf", maar in Alabama zijn ze helemaal niet van de left-turns, want voor je het weet ben je een communist of een homo, of allebei, en dan lynchen ze je twee keer, en dan had hij, Arie dus, ook nog een neger in zijn band, dat was JJ Harris, een broer van Oscar, van "Twinkle twinkle little star" en zo, en dat trokken ze in Alabama en Mississippi helemaal niet. Die gozer moest echt elke avond lopen voor zijn leven. Dat was echt een zware tijd, voor Arie ook, met die dreiging van het publiek, elke *gig* weer, en niemand begreep waar hij het over had als-ie riep: "Hé mensuh, is het hier gezellig of wordt het hier gezellig?" Maar toen kreeg-ie zijn big break, kon-ie in Vegas komen spelen omdat Barry Manilow in de revalidatie zat na een mislukte *facial*, en toen ging het rollen. Zijn muziek sloeg aan, zijn kleding sloeg aan, iedereen op *the strip* liep opeens in van die theedoekshirts en nam een ringbaardje, net als Arie, en daar kwam de polonaiz nog overheen, ik bedoel, Chuck Berry had de duckwalk en Elvis de heupswing, maar bij Arie legde iedereen zijn handen op de schouders van degene die voor 'm stond, en dan maar lopen... Fantastisch was dat! En toen nog de westkust, dat-ie in LA speelde en Frisco, niks geen bloemen in zijn haar, maar wel gewoon de lef om op de San Andreasbreuk te zingen: 's nachts na tweeën komt het dak hier altijd naar beneden! Dus als Rick Rubin echt wat wil, na Johnny Cash en Neil Diamond, dan zou-ie echt met Arie aan de slag moeten... Zeker weten!'

En volgende week gaan we naar Death Valley...

Loudon*

Ergens in dat immense gebied dat Los Angeles heet, een gebied zo groot als de provincie Utrecht, met zo'n tien miljoen inwoners, vind je met de juiste kaart in de hand Fairfax Avenue, en als je die nou nog een kwartiertje afrijdt, zie je Largo's. Een club, heet dat, geloof ik. Woensdagavond net na achten liep ik daar binnen, en zag niet, zoals ik verwacht had, een soort klein formaat Paradiso of Melkweg, maar drie lange rijen gedekte tafels, gedempt licht, wat *booths* langs de zijkanten en een bar. En verdomd, rechts in de verre hoek, een podium. Een podiumpje, eigenlijk. Honky-tonkpiano tegen de muur, twee oude Marshalls tegen de achterwand, een staande bas rustend op de grond, en een microfoonstatief. Alles klaar voor een paar uur *asskicking rock 'n' roll*, maar vanavond even niet. Een paar dagen eerder zag ik in de *LA Times* staan dat Loudon Wainwright hier vanavond zou optreden, *the return of the legend*, zoals de voicemail van Largo's me nog meldde. Loudon had zijn laatste (en eerste) hit ruim drieëndertig jaar geleden, en is nu zo'n twintig cd's en vele honderden prachtliedjes verder. Man met gitaar, kritische blik gericht op de wereld om hem heen, zijn eigen leven, zijn ex-vrouwen, kinderen en huidige relatie(s), honden, golfers, suv-berijders en muziekdownloaders. Een kunstenaar met woorden en daar dan nog een prachtstem overheen. Ondertussen zijn zijn dochter (Martha) en vooral zoon (Rufus) veel beroemder geworden dan papa,

* Dit als tegenwicht voor Arie Ribbens van vorige keer

en hebben beiden ook over hem gezongen, zoals Loudon ooit over hen deed... Toen zij vijf werd, en hij er (weer 's) niet was, schreef hij 'Happy birthday, Martha'; toen zoonlief nog veel kleiner was schreef hij 'Rufus is a titman'. Rufus schreef terug middels 'Dinner at eight', over een poging tot normaal vader-zooncontact; Martha eerde hem met 'Bloody motherfucking asshole'. Prachtige liedjes, heerlijke familie.

En deze woensdagavond zou ik papa Loudon weer terug-zien, voor het eerst op zijn hometurf. In Largo's, waar de men-sen snel hun bordje leegeten zodat de show om half tien kan beginnen. En binnen drie, vier liedjes blijkt de kracht van wat Loudon doet: een hilarisch liedje over een man en een vrouw die bespreken wat ze, seksueel, al dan niet lekker vinden, een melancholisch liedje over regen in LA, een cynisch liedje over een bezoekje aan het mortuarium ('You died of a guilty con-science and a broken heart, lalala') en 'My biggest fan' (weegt zo'n 140 kilo en vindt Loudon bijna even goed als Bob Dylan en Neil Young...). En tussendoor besluit hij, op het podium, zijn cd's te verkopen, omdat gezinslid Harry een operatie no-dig heeft. Harry blijkt, tien liedjes later, de slechtst luisterende hond uit de historie. Die re-connected moet worden, maar als hij de (anale?) consequenties wil gaan uitleggen, wordt hij door zijn vrouw in het publiek tegengehouden. Oké, dan maar een liedje over zijn moeder, haar verdriet en de witte wijn waarmee ze dat verdriet samen wegspoelden. Gevoelig, ont-roerend, grappig, menselijk, veel mooier kan het niet worden in deze stad.

Winnen

Als ik met mijn dochter over atletiek praat, heb ik het vaak over winnen, of de tijden die ze loopt, een persoonlijk record, een clubrecord, haar plekje in de estafetteploeg. Zij praat, bijna altijd, over de lol die ze met de andere meiden heeft, hoe leuk haar trainster is, de spelletjes en oefeningen die ze doen en hoe spannend het is als het estafettestokje (in de hand van de derde loopster) keihard op haar afkomt. *Nietlatenvallen! Nietlatenvallen!*

Ik wil het hebben over de lol van het hardlopen (en het verspringen, het hoogspringen, het balwerpen, noem maar op) en denk daarop uit te komen via dat winnen en dat nóg harder lopen dan de vorige keer, nóg harder lopen dan de andere meiden van de club. Zij wil natuurlijk ook winnen en ze wil het vooral goed doen, zo zijn kinderen, maar ze heeft toch door dat het om die lol gaat, en dat het dus op de een of andere manier onbelangrijk is hoe hard je (ze) precies gaat. Ze heeft door dat winnen bijzaak is, een neveneffect van het plezier dat je aan de sport beleeft. En, zo zal de sportpsycholoog mompelen, de kans dat je wint, dat je succes hebt, is zoveel groter als je uitgaat van de lol, van het plezier.

Waarom? Ik denk omdat je dan altijd een soort winnaar bent, ook als je een keer niet wint, zelfs als je een keer laatste wordt omdat de man met de vlag langs het parcours je de verkeerde kant op stuurt. Maar genoeg over dat trimloopje, najaar 1980, Amsterdamse Bos, waar ik dan inderdaad laatste werd op de 4 kilometer, terwijl ik na dik 2 kilometer gewoon op kop liep. Uitroepteken.

Wat recenter, in februari, volgde ik via de Amerikaanse pers de Olympische Spelen in Turijn. U weet wel, waarbij meedoen belangrijker is dan winnen, maar waar de topsporter gewoon wordt afgerekend op winnen, of eigenlijk vooral op niet-winnen. Want niet-winnen is verliezen, en dat is een schande. Je was toch favoriet? Je hebt toch alle steun gehad tijdens je voorbereiding? Je hebt toch dat talent en die topcoach en die mooie spullen en dat fijne inkomen en die sponsordeals en dat perfecte lichaam? En dan vierde worden, of zevende, of uitvallen? Schande! Wat is er toch mis met je, met je instelling, met je persoonlijkheid? Hoe dúrf je te verliezen?

Bode Miller, de Amerikaanse skiër die de held (lees: winnaar) van Turijn had moeten worden, zei daar in een aantal interviews goede dingen over, vond ik. Dat we, in de sport, zo bezig zijn met winnen dat heel veel kinderen die niet winnen al heel snel het gevoel krijgen dat ze een loser zijn, waardoor ze de sport al heel snel niet meer leuk vinden, en dus afhaken. En dat het volgens hem gaat om hoe je je leven leeft, wat je met je leven doet, en dat dat echt belangrijker is dan de kleur van je medaille. Ofwel, niet alleen maar egocentrisch en met oogkleppen op topsporten, en dan 's gaan nadenken over de rest van je leven, nee: '*this is the rest of my life*'. Aldus Bode.

En natuurlijk, als je cynisch bent zeg je: dat zou ik ook bedenken als ik alles had verloren, in Turijn, maar ik denk dat er wel wat in zit. Dat er heel veel in zit. Ik denk dat Bode en mijn dochter het eigenlijk heel erg goed begrepen hebben.

Surf's up!

Voordat Brian Wilson gek werd, en briljante popmuziek ging maken, schreef hij met zijn mede-Beach Boys liedjes over surfers. Nu ik zelf een maand of twee uitkijk over de Pacific, kan ik me dat wel voorstellen. Je ziet namelijk, bijna doorlopend, in elke branding, op (naast, in, achter) elke golf, tientallen types in straksluitende wetsuits. Surfers, op zoek naar de perfecte golf, om daarop te kunnen... eh, surfen. Niet op een zeilplank, op zoek naar de goede wind, niet op internet, op zoek naar informatie, contact of gewoon plaatjes van blote meisjes. Of jongens, als dat je ding is. Nee, surfen!

Wat ik zie, elke dag weer, maal duizend: Iemand komt op blote voeten aangelopen over het toch nog wat frisse zand, met zo'n nat-pak aan, en die plank onder de arm. De voeten betreden het nog ijskoude water. Stap-stap-stap, de branding wordt langzamerhand zee, de plank wordt neergelaten en voortgetrokken aan het voorttrekkoord, dat op zijn beurt weer strak om de enkel zit. Niet te strak, dat kost je je bloedsomloop, niet te los want dat kost je straks je plank. Op een bepaald moment wordt de plank voor de durfal gelegd, waarna hij (zij? die pakken zijn van een beetje afstand nogal seksloos) erop gaat liggen en begint te peddelen. Weg van het strand, richting zee, Grote Oceaan, Japan! Meestal stoppen ze met peddelen lang voor de zee oceaan wordt, zo'n beetje na de tweede of derde echte golf. Waarbij 'echt' staat voor een golf die ze weer een metertje of twee terugspoelt. Het doet een beetje denken aan dat liedje dat wij vroeger in de kerk moesten zingen: 'een stap naar voren en nog een stap erbij, en dan komt die golf en kan je weer bijna opnieuw beginnen'. (Wij hadden een heel vrije versie van het ware geloof.) Na een tijdje peddelen, op de buik op de plank, armpjes langs de plank in het zoute water, wordt de plek bereikt waarvandaan gesurft kan gaan worden. Dat betekent: op de plank liggen, kijken waar de golven vandaan komen, en als er dan een komt die kansrijk lijkt, is het weer peddel-peddel-peddel, met de golf mee, de golf haalt de plank in, dan ga je staan en berijd je de golf. Dat duurt twee seconden, of vijf, of dertig in een ideale wereld, en dan plens je de plons weer in en krabbel je weer op en peddel je weer richting Pacific.

Op een bepaald moment ging ik er toch een metafoor voor ons leven in zien, althans, uw leven. Je moet keihard peddelen in de richting waarin gepeddeld dient te worden, de richting waarin alle anderen ook peddelen namelijk, en dan is het wachten op 'het moment', vervolgens moet je behoorlijk hard werken om op de golf te komen, en als het lukt is het eigenlijk al weer voorbij, en begin je weer opnieuw.

Peddelen... wachten... klimmen... heel even surfen... game over!

Het moment van echt geluk, het moment dat je de golf berijdt is maar zo kort, vergeleken met alle moeite die je ervoor moet doen, en toch peddelen we door. Omdat iedereen dat nou eenmaal doet, in deze branding, of omdat we hopen dat ooit die ene golf komt die ons meevoert en ons laat surfen en surfen en nog langer surfen. Of omdat we eigenlijk het liefst naar Japan zouden willen peddelen, maar dat niet aandurven.

Beëlzebubs paleis

Voordat we Californië bereikten, moesten we nog even naar de Nederlandse Antillen. ('We' is mijn gezin, de Antillen liggen Boven- of Benedenwinds en zijn ooit door de Nederlanders ontdekt of veroverd of ingenomen of anderszins gejat van de mensen die er al woonden. We zijn er vooral zout gaan winnen, en dan nog iets met slavernij en onderdrukking. Gezellig!)

Na twee tours met mijn band door theaters in Nederland, mochten we nu voor het eerst overseas optreden. Op een strand, ergens op Curaçao. Een kleine twee uur hebben we gespeeld, op een volledig open podium, wat bij elke (dreigende) volgende bui door de geluidsmannen van dienst werd afgedekt met een immens blauw zeil, waaronder dan ook alle instrumenten en de band verdwenen. Heel gek, maar ik denk niet dat Bono dat ooit meemaakt...

Zoals hij ook vast nooit het reisschema Amsterdam-Washington-Miami-San Juan (Puerto Rico)-Willemstad-Miami-Denver- LA heeft gevlogen. Wat wij deden. Omdat dat de enige manier was om onze (voorlopige) eindbestemming te bereiken, via de Antillen.

Geeft niks, we vlogen op tijd en zijn gek op vliegtuigvoedsel, maar één ding hebben we wel geleerd: Miami is Beëlzebubs paleis. Althans, Miami International Airport. Het systeem is als volgt, je landt, je verzamelt je bagage, je glimlacht je door de douane heen en wordt dan verwezen naar een uitgang waar de busjes komen die je naar het hotel brengen. Het airport-hotel is het hotel dicht bij de airport, door het meisje van het reisbureau voor je uitgezocht. Maar in Miami mag elk hotel dat in een straal van 80 kilometer van die airport ligt zich airport-hotel noemen. Maar dat wisten we toen nog niet, want het busje kwam niet.

Je staat buiten, in het bijna-duister, en er rijdt een bijna constante stroom busjes en bussen langs. Busjes met opschriften die allemaal lijken op de naam van jouw hotel. Omdat echt elk hotel iets van Courtyard of Resort heet, en, vanzelfsprekend, elk hotel een airport-hotel is. Maar die busjes rijden door, behalve als je je hand opsteekt en keihard schreeuwt. Dan stoppen ze wel maar blijkt het altijd een busje van een ander hotel te zijn en word je minachtend bekeken in een walm van uitlaatgassen en verschroeid rubber. En dat gaat maar door, en door. Wij hebben dik anderhalf uur staan wachten, ik denk een stuk of tweehonderd busjes zien langskomen, maar ons specifieke Best Western Airport-hotel(-busje) was er niet bij. En je blijft uitkijken, en hopen, en schreeuwen en voelt de wanhoop toenemen. Uiteindelijk gaven we het op, gingen een trapje lager naar de taxi's, die er niet waren (nog veel meer geschreeuw, en walm en rubber), en toen we er uiteindelijk een toegewezen kregen, en onze 85 kilo bagage in de achterbak lag, en de chauffeur hoorde waar we heen moesten, stapte hij direct weer uit en begon onze koffers op straat te gooien. Echt waar! (En als u nu aan de TCA moet denken is dat geheel uw verantwoording.)

Op dat moment wist ik het zeker: Miami International Airport is de hel, wij zouden hier nooit meer wegkomen, maar tot het einde der tijden, ofwel het moment dat D66 de grootste partij van Nederland zou zijn, blijven staan, en blijven hopen op een busje dat ons mee zou nemen. Naar een plek waar een vers gestreken bed stond. Zodat we de volgende ochtend om 05.55 uur uitgerust zouden kunnen inchecken voor de volgende vlucht.

Non touch

Ik moest echt even in Miami zijn, op doorreis ook nog, anders was ik er niet eens over begonnen. Had ik het niet eens gezien, zelfs, dat benzinestation op een van de uitvalswegen die de mens in de gelegenheid stellen Miami te verlaten. Bijvoorbeeld om naar Miami Beach te gaan, maar u kunt ook naar een plek gaan waar de combinatie zon, hoogbouw en consumeren nog geen oneindig triootje is aangegaan. En dat zou ik u eerlijk gezegd sterk aanraden. Baku (Azerbeidzjan), Kinsale (Ierland) en Nunspeet (Veluwe) zijn ook mooi!

Maar goed, Miami, doorreis, tankstation, langs de weg aangeprezen met de tekst NON TOUCH CARWASH, en dat lijkt me een goede zaak, want je moet er toch niet aan denken dat je je autootje staat te soppen en dat je dan met je handen in aanraking komt met die auto, of met dat sop. Jakkiebah!

Amerika, onze grote broer, loopt weer eens voorop, en ik denk dat *non touch* de toekomst heeft. Of is. Wat zou het volgende kunnen zijn? Non touch-food, natuurlijk! Het gaat, zeker in Amerika, allang niet meer om smaak, het gaat erom in een zo kort mogelijke tijdsspanne zoveel mogelijk calorieën, liefst overdekt met gesmolten 'kaas', naar binnen te schoffelen. En daarbij is echt geen enkele reden te bedenken dat je je voedsel ook feitelijk op enig moment zou hoeven aan te raken. Non touch-religion lijkt me ook goed, zeker als je misdienaar bent of dat zou willen worden. Non touch-truth, een soort Amerikaanse variant op de waarheid, en als u zelf even de moeite neemt terug te denken aan de afgelopen drie, vier jaar internationale politiek, denk ik dat u vrij snel een stapel 'truths' bij elkaar hebt waar echt niemand aan zou willen zitten. Of iets mee te maken zou willen hebben. En, tot slot, non touch-love, non touch-sex , het scheelt een hoop douchen, en ik heb in Florida echt niemand gezien met wie ik lichaamssappen zou willen uitwisselen. Vandaar ook dat ik op doorreis was.

Ruimte

Vooropgesteld dat ik niemand jaloers wil maken, en dat ik heel goed begrijp dat u dit leest terwijl de regen tegen de ramen slaat – volgende depressie in overleg – kan ik er toch niet omheen te vertellen waar ik zit. Hoe ik zit. Wat ik zie ook, vooral.

Om met dat laatste te beginnen: ik zie de Pacific. De Grote Oceaan, die zo'n 15 meter voor me begint, en niet meer ophoudt tot Japan. Of een ander Aziatisch land heel ver weg.

Zo ligt dit huis nou eenmaal, dit is mijn werkplek dus, voor een maand of twee. Zuid-Californië, een kilometer of twintig boven San Diego, en dan ook nog net in het dorp dat volgens kenners en reisgidsenschrijvers het meest *funky* en *laid back* is, met nog een *non commercial feel* daaroverheen. Leucadia heet het hier, en wij zijn er ook nog in geslaagd net in de straat terecht te komen die zo'n beetje boven het strand hangt. En als de erosie een beetje doorerodeert zitten we eind maart óp het strand. Ook mooi. Om over mogelijke breuken en bevingen maar niet te spreken.

Maar, nogmaals, voor de duidelijkheid: ik ben aan het werk. Ik zit hier dus niet alleen maar om hard te lopen en latte's weg te klokken en wat aan mijn tan te werken (vorige week gemiddeld 20 graden, vandaag toch nog 18, en de regen die hier al uitzonderlijk is, viel netjes tijdens onze nachtrust...). Ik zit hier omdat ik wel eens op een andere manier wilde schrijven dan even tussendoor, 's avonds laat op zolder of in een Intercity op weg naar de volgende stad met grote schouwburg. Bovendien leek het me een goed idee nou net dit jaar eens niet te veel te praten met omroepbazen en netsamenstellers, niet te veel te denken aan Raden van Bestuur en politici die meestal maar wat roepen over de media (het moet goedkoper en beter en concurrerender met de commerciëlen maar geen makkelijk amusement en... *aaaah*!). Het leek me dus een heel goed idee eens een maand of acht ergens anders te werken. En dit, deze plek, is heel erg ergens anders.

Voor me gaat de zee van blauw naar grijs, en de lucht via roze en paars naar feloranje, mijn laptopschermpje is het laatste licht in deze kamer en morgenochtend worden we wakker met surfers op de golven en dolfijnen daar brutaal tussendoor. Ik kijk, ik denk, ik schrijf. Ik heb de ruimte. En dat geeft me de ruimte, om te denken, en te schrijven.

Koud?

Een paar weken geleden was de stemming in huize Jansen eventjes ver onder het gemiddelde, zeg maar slecht. En dat is uitzonderlijk. Ik ben namelijk echt een heel leuke jongen, die er continu echt alles aan doet om het de mensen om me heen (vriendin, kinderen, toevallige passanten) naar de zin te maken, met vriendelijkheid, warmte, humor en liefde anderszins. Dientengevolge is het in ons huis eigenlijk altijd gezellig, de ene lach is nog niet van de muur gekaatst of de volgende schater zit er al weer vlak achteraan. En toch... die donkere wolk, toen, dat stille verdriet, die ontevredenheid.

Onze vrienden van *Studio Sport* hadden besloten in de aanloop naar Turijn een aantal portretten van (grote) Winter-Olympiërs te maken en te vertonen ook, en ergens begin januari zou Eric Heiden aan de beurt zijn. *So what?* hoor ik u denken. Nou, nogal what, kan ik u verzekeren. Die meneer Heiden uit Wisconsin of Milwaukee of hoe al die sneeuwhopen in de States dan ook heten, was namelijk mijn vriendins eerste echte idool. Daar keek ze naar, die volgde ze, daar knipte en scheurde ze alles van uit (om in dikke plakboeken te plakken), ze kocht zelfs op maandagen na grote wedstrijden alle kranten die je in Amstelveen kon krijgen om nog meer uit te knippen en in te plakken te hebben, en het zou me achteraf gezien niet verbazen als ze ook van hem droomde, zoals een meisje van zestien lentes kan dromen van een man in een strak schaatspak. En nog steeds, nu, vijfentwintig jaar later, met een man als ik aan haar zijde en in haar leven, nog steeds is de naam Eric Heiden voldoende om haar te doen giechelen, om haar gedachten terug te laten gaan naar toen, naar die zondagen voor de televisie, naar die kranten en die plakboeken, naar die dromen ook, denk ik. Ben ik bang.

Ik vond die hele Eric Heiden toen al een overdreven mannetje, met zijn schaatsplank in zijn schuurtje, en zijn glimlach en zijn vijf gouden medailles... Hou toch op, zo hard ging-ie helemaal niet, plus topsport is leuk maar je kan ook best zo nu en dan een ander wat gunnen! Qua medailles.

En daarna werd-ie dokter, en dat doet-ie vast ook heel goed. Nou, ik vond Piet Kleine véél beter, gewoon één keer goud pakken en dan postbode worden in Drenthe!

Maar goed, *Studio Sport* besloot olie in de golven van mijn bijkans perfecte relatie te lozen, en mijn vriendin wilde wekenlang niks liever (en anders) dan die vrijdagavond trillend voor de breedbeeld zitten. Tot ze doorkreeg dat wij de dag voor die vrijdag zouden vertrekken voor een reis die ons acht maanden lang elders op de wereld zou gaan brengen. Heerlijk, natuurlijk, maar Eric H. op tv moeten missen... *oh my god!*

We zijn wel vertrokken, en volgens schema ook, maar blij keek ze niet, die vrijdag. Dat keek ze pas weer toen ik het dvdtje kreeg opgestuurd, met die uitzending. Die ze nu zit te bekijken, op haar laptopje, verderop onder een Antilliaanse palm. En als we over een week of twee ergens in Californië zijn, kijken we samen op dezelfde manier naar alle Turijn-actie. Want ik ben echt een heel leuke jongen. En he-le-maal niet jaloers.

Dicks week

Vandaag, 20 februari, is het hier President's Day, een min of meer vrije dag ter ere van alle presidenten die dit prachtige land al heeft gehad: Jefferson, Roosevelt, Eisenhower, Bush sr., Bush jr., wat een lijst! Het is alleen wel pikant te noemen dat zeker een week lang niemand hier ook maar enige aandacht had voor Dubbajoe omdat zijn vice-president alle aandacht opeiste. En terecht, want hoe vaak komt het voor dat een leider van dit land zelf een onschuldige neermaait? Dit was een retorische vraag.

Afgelopen weekend verscheen de 76-jarige Texaan Harry Whittington voor vele camera's in Corpus Christi, Texas, om te vertellen dat het hartstikke lekker met 'm ging. Fijn voor Harry, natuurlijk, en zeker zo fijn voor Dick* Cheney, de genoemde vice-president.

Zes dagen daarvoor namelijk had Cheney, u heeft er wellicht iets over gelezen, een vol schot hagel in het lichaam van Dick gepompt, van een metertje of tien afstand, omdat Harry er in zijn feloranje niet-schieten-ik-ben-geen-kwartel!-overgooier toch net iets te veel op een lid van Al-Qaida leek, of van de Taliban of wellicht op een lastig, want kritisch, democratisch lid van het Huis van Afgevaardigden.

Of Dick had zon-tegen.

Of hij had toch wat meer op dan een (1) biertje.

Of hij had gewoon zin om weer 's lekker een beetje te knallen, en dan maar te kijken wat je raakt. Met hagel. Dat zijn heel veel kogeltjes per schot, eigenlijk een beetje zoals het Amerikaanse leger oorlog voert: heel veel landen aanvallen, heel veel mensen neerschieten, heel veel mensen opsluiten, en de kans is groot dat je ooit toevalligerwijs de goede te pakken hebt. Maar goed, niks aan de hand, Harry is weer helemaal oké, na zes dagen van topzorg in het ziekenhuis van Corpus Christi. En dat betekent 'lichaam van Christus'... ik ga er dus een beetje van uit dat in dat ziekenhuis patiënten na hun overlijden nog drie dagen worden doorbehandeld, want je kan nooit weten. (Het logo van dat ziekenhuis is een crucifix met een zwaailicht erbovenop.)

De mooiste reactie gedurende vorige week kwam wat mij betreft van de hoofdarts aldaar, die letterlijk zei dat Whittington vele tientallen kogeltjes in zijn lichaam had, maar dat dat geen enkel probleem hoefde te zijn want 'er zijn tienduizenden mensen in Amerika met kogels of stukjes kogel in hun lichaam'; dit lijkt een behoorlijk bizarre uitspraak, maar het is echt waar... Het heeft iets te maken met de wat liberale wapenwetgeving in dit land. En die wordt weer mooi samengevat in het standpunt 'guns are safe, but they can be dangerous!'

En Harry voelt zich goed, en is alweer aan het werk. Als topadvocaat, in Texas. Zo'n type dat nog een schadevergoeding van 8 ton van een stoeprand weet los te procederen, als jouw vrouw wat onvoorzichtig heeft ingeparkeerd. Nou is het hier nooit verstandig iemand aan te rijden, aan te stoten of aan te kijken op een manier die de persoonlijke levenssfeer zou kunnen verstoren, want ze sue-en je broek van je reet. Maar een advocaat neerschieten lijkt mij zo ongeveer het onverstandigste wat je kunt doen. Überhaupt. Anderzijds, we hebben het hier qua dader over een man wiens belangrijkste openbare taak nu al een jaar of vijf bestaat uit het serieus kijken, en soms dito knikken, terwijl George Walker Bush bijna continu de grootst mogelijke onzin uitkraamt.

Een mooi detail nog: de jagers joegen vanuit een auto, want lopen is wat vermoeiend, of zo. Dus: je zit met een geladen geweer in een langzaam rijdende auto en begint te schieten zodra je iets ziet bewegen. Ik vraag me af wanneer het eerste rap-album van Dick uitkomt.

* Dick = lul

Moonlight Beach

Twee dingen zijn hier in de vs nog lachwekkender dan in ons eigen land: uitspraken van politici ('*Iraq is now a democracy*'), en weersvoorspellingen. Neem vandaag, zowel de tv als de *LA Times* van woensdag sprak van '*cloudy*' en '*showers*'. In Nederland denk je dan aan paraplu dan wel thuisblijven met een warme chocomel en dito partner, maar hier in het zuiden van Californië stappen we in T-shirt op het fietsje, en heb ik eerlijk gezegd de hele dag mijn zonnebril niet af hoeven zetten. Hoewel bij dat laatste ook meespeelt dat ik artiest ben.

Het was, is, nog lang geen zomer, maar als de *sky blue* is, en de *sun shines*, dan is het snel 16 graden en peddelen wij naar Moonlight Beach. Strandje, natuurlijk, surfplek, speeltuintje, een paar palmen, en om de hoek de op een na beste koffietent van de wijde omgeving. Mijn vriendin, fotograaf, had aldaar een sessie gepland en ik mocht met mijn laptopje op zo'n onderuitzakstoel gaan zitten. Zee rechts, palm achter, en niet in de lens kijken. Of juist wel, als dat mooier was. Of leek.

Binnen drie minuten meldde zich een man, met een gitaar, die gezien zijn ongewassen staat en gebruinde kleur niet direct over een vaste woon- of verblijfplaats beschikte. De man dan. Maar wel over een felgekleurde papegaai, die meedeinde op zijn versie van '*Friend of the devil*', waarover we nog even in discussie geraakten aangaande het origineel. Hij had gelijk, het is van de Grateful Dead. Weer twee minuten later zat de papegaai, die Brett bleek te heten, vlak achter mijn hoofd mee te kijken op mijn Appel-schermpje, en werden we omringd door zo'n vijftien meisjes die gezien hun kleding en uitstraling net gezwommen hadden, en zowel Brett als zijn eigenaar uiterst interessant vonden. 'Ooh, he's soo cute!' riep er een. Ik bedankte haar hartelijk, maar werd zoals gewoonlijk weer eens volledig genegeerd. Ik mompelde nog iets van *photo session* en *famous Dutch newspaper*, maar Brett won met zijn vleugels op zijn rug. Brett ging op haar arm, en op haar hand, en op haar hoofd, Brett deed een trucje, Brett deed een ringtone na... Sjeezus, wat had ik opeens een hekel aan die beo, of ara, of ander puzzelwoord van drie letters. En toen ging hij ook nog even bij mijn vriendin zitten, óp mijn vriendin zitten, op instigatie van de gitaarheld. En wat bleek? De papegaai kon blozen. Uitroepteken. Echt waar, zijn witte wangetjes kregen rode koontjes... door mijn vriendin. En zij vond dat natuurlijk ook weer fantástisch, en vertederend. En ik zat gewoon voor lul, met mijn laptopje in het zand.

Uiteindelijk eindigde de sessie met een versie van Jim Croce's 'Bad, bad Leroy Brown', en zong ik zelfs een duet met de papegaaipapa. Die in 2001 voor het laatst zijn gitaar had gestemd. Maar dat gaf allemaal niks, in de zon op Moonlight Beach.

Telefoon!

'*Hi, this is* [onverstaanbare naam], *I'm calling you today on be-half of* [onverstaanbare bedrijfsnaam] *because your name and number have come up in an nationwide draw, and that's why I can offer you, on behalf of* [zelfde bedrijfsnaam naar ik aan-neem] *2000 dollars worth of groceryshopping in any supermar-ket in your area! Can I ask you a few questions please?*'

'*No*'. Waarna ik snel ophang.

Oké, paar uur later: '*Goodafternoon, this is Brian from Life-BankInsuranceHallelujah limited, is this Tom?*'

'*No, this is Dolf. There is no Tom living here as far as I know, although I do have a girlfriend with quite loose ideas about...*'

'*Oh, hi Dolf. How are you today?* [nooit wachten op ant-woord, na die vraag, voor je het weet gaan mensen vertellen over hun spataderen, de aambeien van hun partner of de lucht die hun hond verspreidt, en wat zo'n meur betekent voor je le-vensgenot] *Good to talk to you, Dolf... Listen, we have been loo-king at your mortgage...*'

'*I don't live here...*'

'*... and your mortgage situation over the coming years...*'

'*I don't live here!*'

'*... and especially in light of changes in the policies here in Ca-lifornia...*'

'*Brian! Brian! I do not live here!*'

'*... well, it would be very wise for you and your family to have a look at the papers with one of our consultants here at LifeBank-Insu...*'

'BRIAN... DO YOU RECOGNIZE THIS SOUND?' Waarna ik

nog sneller ophang dan eerder al bij de supermarktdame. *Tuuttuuttuut...*

Nu zijn er twee mogelijkheden: of hier in de US of A is de direct marketing-terreur veel uitgebreider dan in het zo beschaafde Nederland, of alle belbedrijven weten dat ik hier voor twee maanden zit, en hebben besloten gezamenlijk mijn geestelijke gezondheid naar god te helpen. Het houdt gewoon niet op. Twee, drie keer per dag moet ik kiezen tussen onbeleefd zijn, of het met humor proberen, wat per definitie in een zwart telefoongat verdwijnt. (Brett, de papegaai van vorige keer, gaat bij hem thuis het gesprek aan, vertelde zijn baasje me. Hij heeft drie mogelijke antwoorden, te weten: '*Yes!*', '*I would like that!*' en '*I am Brett!*', en met die beperkte middelen krijgt hij menig belstudent op de knieën.)

Maar goed, om je te laten zien hoe diep ik gezonken ben: Gisteren, tijdens een gezinsmaaltijd, belde George. Die al na twee heen- en weerzinnen vroeg '*How late do you want your delivery? Is six a.m. early enough for you?*' Het bleek, dat viel dan weer mee, om een krant te gaan, en het abonnement bleek, geheel buiten mij om, gelopen koers. Ik trok het niet, ik had al een krant en wilde eten. Ik zei '*George, you know what you can do with your newspaper...?*', waarna ik zonder op antwoord te wachten de telefoon, inclusief de warme stem van George, in mijn hol probeerde te duwen. Letterlijk. Mijn kinderen vonden dit heel erg grappig en de afgelopen vierentwintig uur ben ik door helemaal niemand meer gebeld.

Schitterend wrak

('Beautiful wreck' – Shawn Mullins)

ik ben de tel kwijt als je vraagt hoe vaak ik jou verliet
of de keren dat je zei 'zonder jou gaat het niet'
ik vind je diep in dit café mijn god wat doe je hier?
mannen verdrinken in je ogen, jij in whisky en bier

op die barkruk zonder mij
wat een schitterend wrak ben jij
(de) vrijheid ver voorbij
'n schitterend wrak ben jij

je had koffers vol met plannen en een plek om te zijn
je beloftes zijn gebroken alles leugens en schijn
zocht je vinger naar de trekker schreeuwend moord en brand?
dit is de laatste kans ik reik mijn hand naar je hand
achter je sta ik, voor je het ravijn
stap je terug of over de rand
stap je terug of over de rand

in je wanhoop zonder mij
wat een schitterend wrak ben jij
(de) vrijheid ver voorbij
'n schitterend wrak ben jij

Zwembad

Schrijven, dat is wat ik doe. Zo'n beetje elke dag. Een paar uur achter elkaar meestal. Een column, nog een column, wat tekst voor mijn vrijdagmiddagradioprogramma *Leuk is anders*, een liedtekst of gedicht, soms. Maar ik werk vooral aan wat mijn boek moet worden, over hardlopen. Over mezelf als hardloper – al bijna 27 jaar – , over lopen en waarom we dat doen en hoe dat voelt en waar je uitkomt en waarom het nooit zal ophouden. En over geblesseerd zijn en herstellen. Dat is een van de hoofdstukken die ik dezer weken schrijf, en het moet toch toeval zijn dat ik juist nu, voor het eerst in jaren, geblesseerd ben. Toch?

Afijn, ik aquajog vijf keer per week, en daar schrijf ik dus ook over:

Het zwembad behoort niet tot mijn natuurlijke habitat, en al helemaal niet als het Olympische Afmetingen heeft. Dat riekt toch naar Van den Hoogenband, half zes des ochtends en extensieve intervalprogramma's. Te water. In een zwembroek, met altijd chloor-tegen. Prachtig, als je zwemmer bent of dat wilt worden, een stuk minder voor de hand liggend als je er in zwembroek uitziet als een slachtoffer van een laatste opleving van de vliegende tering en ooit over het behalen van enig zwemdiploma überhaupt een jaar of zes deed. En nu, dik dertig jaar later, nog steeds wel eens die metalen haak onder je nek of borst voelt, en die scherpe stem van die badjuffrouw met slecht huwelijk door je trommelvlies voelt snijden. Terwijl je van pure schrik weer eens een litertje Sportfondsenbad-water naar binnen klokt.

Zeg mij allen na: 'Dolf Jansen is geen zwemmer!'
Dankjulliewel.

Vanochtend ging ik naar het zwembad met Olympische Afmetingen en dat zal ik de eerstkomende weken zo'n beetje elke dag doen. Niet omdat ik besloten heb om een volstrekte *career change* te maken, maar omdat ik ga aquajoggen. Móét aquajoggen. Niet mag hardlopen, namelijk. Maal eenentwintig dagen. Om de voetzool van de rechtervoet nu eindelijk en volledig en voor altijd (klop-klop) te laten herstellen van de vage pijn, soms, en de zeurende aanwezigheid, op andere momenten, veroorzaakt door iets wat een *plantair fasciitis* wordt genoemd. En dan correct gespeld. Maar wel uiterst vervelend. Voor de hardloper met grote plannen en dito verlangens. Hoewel, die verlangens zijn vrij simpel: lopen. Elke dag. Punt.

En daarom dus nu eenentwintig dagen water-lopen, aquajoggen, in zwembroek, met een drijfband strak om de heupen, een zonnebril op tegen schitteringen en gewoon om eindelijk eens iets te zien in het zwembad (ook een deel van mijn jeugd-Sportfondsen-trauma: ik zag geen ene fuk, wist niet waar ik heen moest 'zwemmen', wist niet waar die scherpe stem vandaan kwam, en wist al helemaal niet waar alle andere zwemmers zich bevonden, met alle botsingen en slokken chloorwater van dien).

En wat ik zie, als ik met relaxte tred naar het onwaarschijnlijk grote bad trippel? Tientallen zwemmers, banen vol zwemmers, ik denk een stuk of tachtig, die allemaal achter elkaar aan stuiven, door dat bad, door de banen drie tot en met acht, spletjs-spletjs, allemaal met een badmutsje op en een echte zwembril, en hárd dat ze gaan! Echt hard. Ik bedoel, ik heb geen enkel idee van zwemsnelheid, en op tv krijg je er echt geen idee van, want dat bad (Olympische Afmetingen, natuurlijk, want vaker dan één keer per vier jaar kijkt deze jongen dus niet naar zwemmen!) wordt nooit groter dan de breedbeeldafmetingen van je tv, maar wat ik hier zie lijkt me hard. Echt hard. Wat volgens mij vooral veroorzaakt wordt door het feit dat de dames en heren a) nooit bovenkomen om te ademen en b) zo ongeveer eenderde baan voordat ze weer bij het fris betegelde zwembadmuurtje zijn, beginnen aan een soort koprol met dubbele schroef die ze precies bij dat muurtje in de gelegenheid stelt om, nog steeds onder water vanzelfsprekend, zo hard af te zetten dat ze pas halverwege hun volgende baantje weer een beetje aan een zwemslag hoeven te gaan denken. Ademhaling nog steeds in overleg. Ik denk dat dát het geheim van zwemmen is: je moet zo min mogelijk zwemmen. En ademhalen is voor watjes. Ik zal toch eens bellen met Pieter, om te kijken of ik weer een kloppend theorietje heb ontwikkeld.

Over een week of twee hoop ik weer alleen over hardlopen te schrijven, dat lijkt me duidelijk.

T-shirt

Mijn broer droeg vroeger een T-shirt, en voor zover ik weet doet hij dat nog steeds regelmatig, maar het gaat me nu even om het T-shirt dat hij droeg toen we een jaar of 16, 17 waren, meer dan vijfentwintig jaar geleden, lieve lezer, en zeg nou eerlijk, zou u me 42 geven, als u me zo ziet? Dit was een retorische vraag.

De tekst op het shirt van mijn broer luidde ALTIJD DRONKEN IS OOK EEN GEREGELD LEVEN! en dat is natuurlijk waar. Nou hecht ik eraan hier te vermelden dat mijn broer, deze broer, zeker niet altijd dronken was (dat was namelijk een andere broer), het shirt was natuurlijk grappig. Bedoeld. En soms valt dat samen. Het was een commentaar op de reinrust-regelmaat-commentaren die je als opgroeiende jongen met enige interesse in cafés en wat daar zoal geschonken wordt nou eenmaal over je heen krijgt. Van je ouders, oma's of betrokken leraren.

Ik hou daar wel van, in één zin op je borst de wereld om je heen, en het gezondheidsgehalte van je eigen leven becommentariëren. Een vriend van mijn broer was in die jaren wat mollig, ergens tussen gezet en dik, en hij droeg dan ook meestal een T-shirt met de trotse tekst BIER HEEFT DIT PRACHTIGE LICHAAM GEMAAKT. Wat in zijn geval weer waar was, maar toch ook een glimlach opleverde bij de lezer. En van de week kwam ik een best-wel-dikke Amerikaan tegen met de tekst SLOWLY WINNING THE STRUGGLE AGAINST ANOREXIA op zijn shirt. Voor mij is dat voldoende voor een grote grijns tot zeker de volgende straathoek.

Maar nou moet ik zelf een shirt. Vind ik. Vindt ook mijn gezin. Tuurlijk, het shirt dat ik draag van het Ierse rugbyteam is aardig, en mooi groen ook, maar voordat de lezer-passant heeft geconcludeerd dat ik niet echt het (Ierse) rugbytype ben, is het moment al voorbij. Timing is alles, ook hier, ook op je shirt. Ik zou een X-large kunnen aanschaffen met OCEANSIDE FAT CAMP, maar eigenlijk vind ik het best knap van die Californische kids dat ze hun te zware lichamen naar zo'n kamp slepen om echt en gericht en onder enige dwang af te vallen. Dus misschien is het beter die met MIAMI BEACH CHEERLEADERS te doen, maar die is weer roze, en dat vindt mijn dochter lelijk. Uiteindelijk bekijk ik mijn op dit moment zo gebruinde en gezonde lichaam nog eens in de spiegel en schaf een shirt aan met de tekst NEVER JUDGE A MAN BY HIS T-SHIRT. Want daar lijkt me echt geen speld tussen te krijgen.

Deal?

is this what you want
am I what you want
could I be exactly what you want right now?
is this where we'll go
is this where you want to go
could this be our final destination somehow?

is this wrong because...
is this wrong unless...
could we be a billion after starting out a dime?
is it what I see
is it what I want to see
could we overcome this thing called right thing wrong time?

it's your choice
it's what you feel
just answer me: deal? or no deal?

they used to say a sigh is just a sigh, a kiss a kiss
but here and now the stakes are high I'll be right back after this

is this what you want
am I what you want
could I be exactly what you want right now?
is this where we'll go
is this where you want to go
could this be our final destination somehow?

it's your choice
it's what you feel
just answer me: deal? or no deal?

Acquisition

Zo heb ik onlangs ontdekt dat je op internet veel meer kunt vinden dan plaatjes en filmpjes van mensen (en huisdieren soms ook) die geheel ontkleed, en vaak nog in staat van opwinding ook, lichaamsdelen in elkaars lichaam steken, soms op plekken waarvan je denkt: nou, ik moet nog maar zien of dat gaat passen, maar dat blijkt dan vaak toch het geval te zijn. Muziek bijvoorbeeld. Niet alleen door internetradio te luisteren, of de site van *3voor12* te bezoeken, maar ook middels volstrekt legaal zoeken en downloaden. En dat werkt, voor mij, dan weer zoals goede popmuziekradio ook werkt: je hoort (zoekt) dingen die je al kent, maar zeker ook dingen die nieuw zijn, en die je zomaar ineens kunnen raken, waar je meer van wilt weten of horen, waarna je bij wijze van spreken direct een cd'tje gaat scoren.

En dat zoeken en binnenhalen en luisteren doe ik dan middels *Acquisition Music*, en ongetwijfeld loop ik dan alweer twee veel betere *peer to peer*-programma's achter, maar dit is geen hightech-info-rubriek, dit is het verhaal van Jansen die zich gemiddeld maar net weet te redden, in het leven, in de vs, op internet ook. Dankjewel.

Voorbeeldje: ik kreeg twee weken geleden een mailtje van een vriendin in Nederland, die een liedje van Buffalo Tom had gehoord, en dat vond ze prachtig, en kon ik haar vertellen of die Tom nog meer (mooie) liedjes had. Waarop ik haar direct terugmailde dat het een bandje is, uit Minneapolis dacht ik zo uit mijn hoofd, en dat ik járen geleden het prachttrieste liedje '*Taillights fade*' vaak op de radio draaide. En dat ik voor haar op zoek zou gaan. Voor leuke vrouwen doe je een stapje extra, bovendien was ik zelf ook benieuwd of ze nog bestonden en speelden, en wat ze verder ook al weer gemaakt hadden. En dan wordt het zomaar simpel: Dolf opent dat programma, typt bandnaam in, en op de een of andere manier wordt dan wereldwijd bij miljoenen mensen die ook aan dat programma hangen gezocht naar alle liedjes van dat bandje. Die je dan met een dubbelklikje kunt (laten) binnenhalen, en in je iTunes zet. Wow! Een dag later kon ik twaalf liedjes naar Nederland sturen, en was ik ondertussen alweer verdiept in Matt Costa (vriendje van Jack Johnson die hier binnenkort een outstore-optreden geeft, voor de deur bij platenzaak Lou's), Guillemots (nooit van gehoord, maar die volgens de krant erg goed waren op sxsw, het overvolle festival in Austin), Dead 60's, omdat mijn vele kinderen hun singletje 'Riot Radio' zo goed vinden, en At Montreal, een orkest ergens in de hoek waar ook Arcade Fire huist. Waardoor ik nu liedjes als 'The party's crashing me', 'Disconnect the dots' en natuurlijk 'Satanic panic in the attic' kan horen. Popmuziek blijft me verrassen en ontroeren, ook als het op deze manier bij me binnenkomt.

@merika voor beginners
(en gevorderden)

Na ruim twee maanden in de vs, waarvan de laatste twee weken in een rv – dat is een camper – begin ik de taal hier een beetje machtig te worden. En dat moet ook wel, want zeker rondtrekkend met een camper zijn (korte) gesprekken met locals en autoriteiten vaak onvermijdelijk en zie je heel veel borden langs de weg waarvan er zomaar eentje echt belangrijk kan zijn. En dus is het van belang te begrijpen wat bepaalde woorden, bepaalde zinnen, feitelijk betekenen. Wellicht kun jij er ook ooit je voordeel mee doen

rv park: kan van alles zijn, van een slecht onderhouden grasveld met hier en daar een wankel paaltje met een onleesbaar site-nummer, en douche/wc-ruimtes waar je slechts in beschermende kleding naar binnen durft, tot aan ruime, groene, schaduwrijke parken met *stunning views* over een meer, een canyon of de oceaan.

rv resort: zie boven, alleen 10 dollar per nacht duurder.

I've got a great spot for you son!: Er is nog een plek die ik echt kwijt wil, de wc op reukafstand, de highway op gehoorsafstand en de buren zijn vaste bewoners van dit kamp en fokken vechthonden!

Have a nice day: kan 'tot ziens' betekenen, maar net zo makkelijk 'wegwezen uit ons dorp, hippie!'

Illegal: iemand die een groot deel van het echte werk doet, van fruitplukken tot vuilnis ophalen, van wegen aanleggen tot het herbouwen van New Orleans, maar altijd een derderangsburger blijft, geen rechten heeft en elk moment uitgezet kan worden. Als Rita Verdonk hier op werkbezoek zou komen...

God bless America!: bumpersticker; ik gun de meeste Amerikanen zeker Gods zegen, het zou alleen fijn zijn als ze het onderling eens zouden worden over welke God we het hier hebben, maar goed, dat geldt eigenlijk voor de hele wereld.

Internet: niet echt het medium dat je altijd overal in staat stelt contact te leggen, nieuws te lezen en muziek te horen. Zelfs niet hier in Californië, waar de digitale snelweg toch begint en eindigt. Vorige week waren we in een winkel in woestijnachtig gebied en vroeg ik aan de winkeldame of er ergens in de buurt een plek was waar ik op internet kon. Ze keek me misprijzend aan en antwoordde: '*Oh no, we don't have that kind of thing around here!*' De combinatie van haar blik en 'that kind of thing' zette internet zomaar op één lijn met anale seks, Arabieren en muziek van System of a Down.

God is on our side: lijkt me een punt van discussie...

Godfearing people: mensen die niet alleen geloven in God, maar ook een beetje bang voor hem zijn. Nogal vaak, heb ik gemerkt, zijn 'the people' het niet helemaal eens over welke God ze het eigenlijk hebben; een dorp dat we eerder vandaag doorkruisten telde een ruime 1100 inwoners, maar ook negen verschillende kerkgenootschappen, van Episcopal tot St. Jude's, van Evangelical Free Church tot First United Methodist, van iets met Latter Day Saints tot de Believer's Church... Ik vind het veel.

Obesity: overgewicht. Het grootste probleem dat dit land momenteel heeft. Volgens de Surgeon General alhier zelfs een groter gevaar voor de v s dan internationaal terrorisme; de regering-Bush zoekt nu uit hoe ze de schuld van het overgewicht van vele *fellow Americans* bij Iran kunnen leggen, of bij de gedetineerden in Guantanamo Bay.

General store: handige plek als je houdbare melk nodig hebt, een nieuw mes voor je grasmaaimachine, accuzuur, Hershey-repen of een halfautomatisch wapen om een arbeidsconflict uit te praten.

Coffee: zwartdoorzichtige vloeistof die je in snikken doet uitbarsten; na twee koppen Amerikaanse koffie begrijp je waarom *refills* hier altijd gratis zijn.

Cappuccino: bruindoorzichtige vloeistof die uit een automaat komt en zo zoet is dat de gemiddelde tandarts op één cappuccino-schuiver in het dorp zijn hele praktijk draaiende kan houden; ook verkrijgbaar in de smaken chocola, kaneel en vanille.

Cheese (ook: mozzarella, swiss, cheddar, parmesan): melkfantasie waaruit werkelijk elke smaak is weggepasteuriseerd, maar die ondanks dat overal over- en doorheen wordt geflikkerd; de mozzarellavariant is ideaal als je stopverf te duur vindt.

Randolph: onze buurman op de campsite van vanavond; stond eerder op de dag met een radiografisch bestuurbaar autootje te spelen, dat een absolute tinnefherrie voortbracht (Randolph is een jaar of dertig); de broer van R. is overigens tevens zijn vader en heet ook Randolph (althans, dat is de enige naam die we steeds horen schreeuwen in/vanuit hun RV).

Redneck: vaak een mildbeledigende benaming van zuiderlingen die rassenscheiding eigenlijk wel een goed idee vonden; op deze camping zou redneck een compliment zijn.

George Bush: de president. En als het echt zo is dat elk land de president krijgt die het verdient, gaat het met de VS nog een stuk slechter dan je uit het voorgaande zou kunnen opmaken. Onlangs werd bekendgemaakt dat er 8 miljoen dollar is vrijgemaakt voor de George W. Bush Presidential Library, 3 miljoen daarvan zal worden besteed aan de integrale vertaling van alle tot nu toe verschenen avonturen van Suske en Wiske.

Hummer: kruising tussen tank en automobiel, wordt als Humvee in Irak gebruikt, en zeer geregeld opgeblazen ook, het is daar namelijk oorlog. De Humvee kan nogal wat hebben, qua zand, tegenwind en kogels, maar explosieven van 250 kilo... nee. Ondanks die tegenslag is de Hummer zeer populair geworden als auto, bij mensen met wat geld te veel, het sociale gevoel van een stinkdier en een onderontwikkeld verantwoordelijkheidsgevoel (Hummers slurpen in hoog tempo de olievoorraden op die echt bijna uitgeput zijn). Er zijn vrouwen die winkelen in hun Hummer, dat is toch een beetje alsof je... alsof je een automatisch wapen gebruikt omdat je op school geplaagd werd (maar ook dat is helaas geen uitzondering, in het land van de onbegrensde mogelijkheden). Als je een Hummer tegenkomt, in een botsing bijvoorbeeld, is de kans groot dat je ernstig gewond raakt, levenslang invalide geraakt, of doodgaat. Hummer-rijders noemen dat 'veilig'. De slogan van Hummer luidt '*Like nothing else*', ruw vertaald is dat 'Lijkt echt helemaal nergens op'. Hoe meer je van de Hummer weet, hoe beter je die mensen in Irak begrijpt die ze in groten getale trachten op te blazen.

Gun Control: alle wetten die het mogelijk maken dat je een wapen kan kopen, ammunitie kan kopen en alles wat verder nodig is om jezelf en je gezin te beschermen. Of om een postkantoor te veranderen in een bloedbad, dat natuurlijk ook. Soms schiet iemand zijn wapen leeg in een McDonald's... het lukt me maar niet om uit te maken wat ik daar nou eigenlijk van vind. De vraag blijft natuurlijk: als vrijheid betekent dat je een wapen mag kopen, mag hebben, mag leegschieten ook, hoe vrij ben je dan eigenlijk als slachtoffer. Of als mogelijk slachtoffer?

Awesome: veel te veel gebruikte overenthousiaste aanprijzing; wel mooi gebruikt in de titel van de meest recente dvd van de Beastie Boys.

Barry B.

Een paar jaar geleden was er in het Amerikaanse honkbal, de Major League, een *slugger*, dat is een man met heel sterke armspieren en een briljante knuppeltechniek, die in één seizoen meer homeruns het stadion uitmepte dan iemand ooit *ever* tevoren had gedaan. Mark McGwire. Was zomaar ineens de beste en bekendste honkballer die er rondliep.

En een of andere ándere honkballer, ook al zo'n superslagman, vond dat onterecht en oneerlijk, en deed er alles aan om die McGwire van dat voetstukje af te knuppelen, omdat hij en niemand anders daar hoorde. Echt wel! En verdomd, binnen een jaar was Barry Bonds de grote man. Hij verbeterde records en rukte op in de *all time*-lijsten. Slechts twee andere honkballers hebben, in hun hele carrière, meer homeruns geslagen dan Barry. En dat zijn gelijk de twee allergrootsten die de sport heeft gekend, en kent: Babe Ruth en Hank Aaron.

Dat is het mooie van sport, van topsport: je wordt uitgedaagd, of verslagen zelfs, en gaat er alles aan doen om dat recht te zetten, om wraak te nemen, om dat bovenste plekje met die grote 1, en die mooie medaille te heroveren. Dat zou het mooie van topsport zijn, als het allemaal eerlijk en volgens de regels ging. En dat is waar dit verhaal ernstig uit de rails loopt. Omdat Bonds al jaren verdacht wordt van gebruik van allerlei middelen die niet helemaal – of helemaal niet – deugen, omdat onlangs een boek uitkwam waarin zo ongeveer bewezen wordt dat hij zeer ruim aan *the juice* was, zoals de anabolen en aanverwante zaken prozaïsch genoemd worden. (Wat zeggen we ook alweer in het wielrennen, wespen en binnenbanden, toch?) Maar ja, die Barry is nooit betrapt en heeft zelf altijd alles ontkend... Waarom komt me dit toch allemaal zo bekend voor?

Maar terwijl een paar jaar geleden, tijdens de Bonds-McGwire-strijd, veel sportfans de geruchten voor lief namen, want het was zo spannend, is de opinie nu behoorlijk omgeslagen. Heel veel tv-kijkers en stadionbezoekers vinden Barry een *cheat*, en een groot deel van de sportpers is meedogenloos (desondanks geeft ESPN, de grootste sporttelevisiezender, hem wekelijks de kans, tegen fikse betaling ook nog, zijn verhaal te doen...). En hij begint het nieuwe seizoen gewoon bij de San Francisco Giants waar hij de kans krijgt om binnenkort Ruth in te halen. Maar mag hij in de Hall of Fame, komt er een *-je bij zijn records (behaald met behulp van pillen en spuiten), is hij een topper of een boef?

Tijdens de openingswedstrijd van het seizoen, een paar weken geleden, waren er tientallen spandoeken tegen Bonds te zien, HALL OF SHAME, ANABONDS, en een aantal mensen die een grote * hadden geknutseld, en die omhooghielden als Barry in zicht kwam. Creatief! En er werd nog een plastic injectiespuit in zijn richting gegooid, waarbij het maar goed is dat het publiek niet weet dat hij ook ruim aan de zetpillen was, en geregeld aan het infuus lag.

En de vraag blijft: ben je een boef als je een boef bent, of als je betrapt wordt als boef?

A man's job

Het zwaarste baantje in de Verenigde Staten schijnt Mickey Mouse te zijn, althans, de man of vrouw die tien uur per dag in dat pak zit, te Disneyland. Florida, Californië, maakt niet uit. Mickey Mouse bestaat namelijk niet echt, bovendien worden muizen nooit groot genoeg om volledige pretparken te dragen. En dus is er een MM-pak ontworpen, dik anderhalve meter hoog, in omvang overeenkomend met de gemiddelde Amerikaanse mom (stevig, om het beleefd te zeggen), en is er iemand de gelukkige. Dan wel de lul. Tien uur per dag in dat pak, voor een uurbedrag waarvan ik in elk geval zachtjes zou gaan huilen. Maar goed, het is een baantje, het is werk.

En waarom het zo zwaar is? Je krijgt tien uur per dag te maken met Amerikaanse kids die allemaal dicht bij Mickey willen komen – al was het maar omdat papa eindelijk de videocamera scherp heeft, dus het is *now or never*, qua opname –, kids die allemaal denken dat het *funny* is om je een stootje tegen je bovenbenen te geven (wat ben je godsblij dat je nog een toc had liggen, van ijshockey), dat het *very funny* is om te kijken of ze je om kunnen duwen, en die het na verloop van tijd allemaal echt *hilarious* blijken te vinden om je een ram te geven, tegen je kont, je benen, je buik, je snoet als je je vooroverbuigt, waar ze je maar kunnen raken. Niet dat alle Amerikaanse kinderen zo in en in slecht zijn, of dat alle moms and dads hopen op een hilarisch stukje Funny Home Video (hoewel, als je wint... Het is toch 50.000 dollar. Daar moet die gozer in dat Mickey-pak toch al gauw vier zomers voor werken), maar een paar uur wachten in veel te lange rijen, gecombineerd met iets te veel cola en andere suikerhoudende producten, in de felle zon, brengt over het algemeen toch het slechtste in het kind boven. En daar ben je als Mickey het slachtoffer van, elke dag weer, tien uur per dag. En 's avonds zakken ijs op je blauwe plekken, zodat je er 's ochtends weer helemaal ready voor bent.

Nee, dan mijn Pasen. Ik stond vier dagen als paashaas in de tuin van de Young Christian Californians. In ruil voor een week gratis met de camper op Campsite Little Nazareth. En *all you can eat-marshmellows* voor mijn kinderen. Het was niet makkelijk, maar het was een baantje.

Een spoor van pretzels

Ik ben geen zeiler. (Ik ben ook geen kampeerder, vvd'er, Talpa-kijker of... maar daarover een andere keer meer.)

Geen zeiler dus, maar een vriendin die dat vroeger wel was in combinatie met een Californische vriend die dan ook nog een zeewaardig jachtje bleek te hebben liggen in de marina van Ventura, bracht me onlangs weer eens op een van die vele plekken waar ik niet bij voorbaat wil zijn, maar dan toch terechtkom. Deze keer dus dat zeiljacht. 'Vu ja de' geheten. Waterig zonnetje, windkracht weet-ik-veel, maar zeker niet te veel, want geen witte kopjes op de golven van de oceaan (je vaart daar zo de haven uit de Pacific op... als je te lang doorzeilt moet je 'stuurboord' in het Japans zeggen), dus niks stond mijn zeildoop in de weg.

De haven uitkomen blijkt nog een karwei op zich, met afduwen tegen andere (nog veel grotere) jachten, en twee keer om je as draaien, en uiteindelijk godsblij zijn dat je niks geraakt hebt en er nog niemand overboord is gegaan. We zijn met een boot vol: mijn vriendin en de Californiër (import trouwens), zijn vrouw die bijna continu benedendeks blijft, opdat ze maar geen opdrachten van haar man krijgt aangaande oploeven of even het grootzeil taggen, hun dochter (12) die een keer of drie, vier mompelt 'this trip was doomed from the start' (ja meisje, en anders mijn leven wel), en mijn kinderen die beleefd over het water staren als hun daarom gevraagd wordt, en verder genoeg hebben aan het levenswerk van Willy van der Steen. En ik natuurlijk, want mijn voorstel om alvast op zoek te gaan naar een lunchtentje, terwijl zij *nice* aan het *sailen* zijn, is met hoongelach afgewezen. Sterker nog, het plan blijkt te zijn om zo'n anderhalf uur langs de kust te zeilen, dan een andere haven binnen te gaan (afduwen, om je as, aanleggen, u weet wel), aldaar ergens te lunchen, en dan weer terug. En mocht het ondertussen wat onstuimiger worden, qua wind, qua golven, kunnen we eindelijk de prachtuitdrukking 'lose your lunch' in daden omzetten. Bah Dolf!

Na een stief kwartiertje zijn we echt de haven uit en tussen alle strekdammen door hebben we drie van die idioten op waterscooters (de Hummer van de woeste baren) ontweken, en kan het echte zeilen beginnen. Er wordt een zeil omhoog geknald (de fok?) en een ander nog groter zeil (het grootzeil!), de boot gaat zomaar opeens een andere kant op, maar dat is de bedoeling (zeggen de zeilers), en weer een paar minuten later liggen we 'op koers'. En zo'n beetje op de zijkant. Want een zeilboot, weet ik nu, ligt nooit lekker rechtop op het water, met eventueel hier en daar een hopsje van een golfje, nee, zo'n boot ligt continu (bijna) op zijn (haar) zijkant, waardoor de nietzeiler a) uitermate ongemakkelijk zit op dat geinige bankje dat hij aangeboden kreeg, naast de ene zeiler, tegenover de andere zeiler (maar overal afblijven!) en b) het idee heeft dat het grote omslaan elk moment kan beginnen. Met aansluitend het grote hopen dat het zwemvest doet wat het moet doen, het grote redden der kinderen, het grote troosten wegens verdronken Suskes en Wiskes, en het grote anderhalf uur vastklampen aan een soort van boei, waar we net langskwamen en die vooralsnog in het bezit is van een zonnende zeeleeuw.

Natuurlijk valt dat allemaal vreselijk mee, en heb ik dus tijd om me druk te gaan maken over dreigende zeeziekte. Waar ik echt geen zin in heb, want daar word je zó beroerd van, naar het schijnt, dat je eigenlijk alleen nog maar dood wilt, en ik heb het juist zo naar mijn zin, in het leven, in Californië zelfs. Een keer werd ik semi-zeeziek, op een stoere veerboot op de Ierse

Zee, maar tegen de tijd dat ik van misselijk echt beroerd zou zijn geworden (met mogelijk dramatische gevolgen van dien) bereikten we Rosslare. *Saved by the Emerald Isle!*

Dit keer komt de redding uit geheel andere hoek: na een minuut of veertig zeilen – dan weer naar links, dan weer naar rechts, want gewoon rechtdoor zeilen naar waar je naartoe wilt (haven, vasteland, lunch!) kan niet, aldus de zeilers – klinkt een ijzige kreet vanuit het benedendekse. De kajuit. Dat overdekte hokje dat ruikt naar diesel en verschraald bier. De pretzels zijn gevallen, ik herhaal: de pretzels zijn gevallen! We hebben niet echt mondvoorraad bij ons (we gaan tenslotte lunchen, verderop), maar een mediumzak pretzels (een kilootje, schat ik in), lichtgezouten, is op de een of andere manier aan boord gesmokkeld. Ik verdenk de vrouw van de kapitein. Maar ook zijn dochter en mijn kinderen eten er lekker van. Aten. Want u las zojuist de noodkreet (ik weet niet of daar een internationale morsecode voor bestaat, zoals voor mayday, maar als dat niet zo is vind ik dat het hoog tijd wordt, *pretzelsdown*, zoiets), en het is best een schone boot, maar niet dusdanig dat je van de kajuitvloer zou kunnen eten. Ik zeker niet, ik proef al te veel van mijn ontbijt van eerder die dag, toen ik nog lekker tussen de wino's en de weirdo's in Venice Beach vertoefde. *Peace man, wanna buy some great skunk... it'll blow your mind dude!*

Nog geen minuut later, de kapitein heeft nog niet kunnen uitmaken of hij serieus op het pretzelprobleem zal ingaan, klinkt de volgende noodkreet: we maken water. Uitroepteken. Ik zit het dichtst bij het trappetje naar beneden, en zie inderdaad water klotsen. Niet veel, nog niet veel (?), maar mijn dochter loopt al stripboeken te redden, en mijn zoon, praktisch als altijd, gordt zijn zwemvestje wat steviger om de magere schoudertjes. De *captain's daughter* mompelt nog maar eens haar mantra, de *captain's wife* sloopt een kastje om te kijken of het water daar binnenkomt.

Het is een triest gezicht: honderden pretzels drijvend in het grauwe water, in een donkerbruine kajuit, vier mensen daaromheen die hun voeten krampachtig omhooghouden, en de blik van de kapitein die het drama in ogenschouw neemt. En weet dat deze tocht, de golfontmaagding van zijn *European friend*, uiteindelijk herinnerd zal gaan worden als de *soggy-pretzel-sailing*. En dat is ook zo. Zeker omdat we daarna besluiten om te draaien (*yeah right*, op een zeilboot), en al helemaal niet omdat we toch enigszins gaan hozen, met zo'n pannetje en een emmertje, en liter na liter water plus pretzels aan de oceaan teruggeven. Tot in de haven duurt dit voort, waarna de zon echt doorbreekt, we de boot zonder moeite inparkeren, de landvasten aanknopen (echt, ik zeg maar wat) en een topmaaltijd gebruiken in de tuin van een klein Mexicaans restaurant.

Volgende keer gaan we skiën, dat is namelijk ook niks voor mij.

Camping

Een in beperkte kring beroemd columnist zei ooit 'Ik ga pas kamperen als er een camping met roomservice is'. Het feit dat ik onlangs weer wekenlang langs allerlei campings ben getrokken, is maar weer eens een bewijs van mijn volstrekte gebrek aan standvastigheid. Want ik kan u verzekeren dat ik van alles heb getroffen, en van alles heb beleefd ook, maar roomservice zat daar zeker niet bij.

Neem de kampplaats waar we vandaag staan, en morgen ook, want overnachten is vaak verplicht. Het is een stuk bos, langs een rivier, onder aan de bergen, vlak bij de Californische kust. Vier keer mooi, hoor ik u denken, en daaruit blijkt maar weer dat u lekker in uw doorzonwoning een beetje zit te lezen, en niet bij mij op de camping staat. Want dan dacht u wel wat anders, bijvoorbeeld: Hoe stap ik uit mijn camper zonder direct tot aan mijn liezen in de modder te verdwijnen? Of: Zijn die twee zwarte doornatte dwergjes daar de mijne, of trek ik zo weer eens de verkeerde kinderen mijn camper binnen? En natuurlijk: Waarom betrekken ze het douchewater toch altijd rechtstreeks uit Alaska? U merkt wel, ik heb het over het algemeen het meest naar mijn zin als ik wat te klagen heb (en anders mijn omgeving wel... zelfs mijn kinderen roepen tegenwoordig als het me weer eens echt tegenzit 'Kan je een leuke column over schrijven papa!', vermoedelijk als wraak voor de jaren dat ik tegen hen zei 'Hé, niet zeuren dat ik weer moet werken, je vreet er lekker van!'; je komt als gezin echt dichter bij elkaar, zo samen op pad van het ene veldje zonder sanitair naar de volgende modderpoel zonder elektriciteit). Ik bedoel, prachtig hoor, zo'n riviertje, maar waarom leg je die camping erin? Ernaast zou toch ook al prachtig zijn...? En zo vraag ik me van alles af, en krijg ik weer eens nergens echt antwoord op.

Herdenking

Afgelopen week was het precies honderd jaar geleden dat San Francisco werd getroffen door een aardbeving. The Great Quake. Duizenden slachtoffers, grote verwoesting, branden, tienduizenden daklozen, chaos en verwarring. Precies honderd jaar geleden. En dus tijd voor een herdenking, waarbij zelfs nog een stuk of vijftien 'overlevenden' van toen, allen tussen de 100 en 107 jaar oud, aanwezig zullen zijn.

Eens kijken hoe de *San Francisco Chronicle* me voorbereidde op deze toch historische week. Aah, een hele bijlage bij de zondagskrant. Titel: *The next one*, ofwel 'de volgende'. Ondertitel 'Reimagining 1906' en op de bijgaande cover zie ik een suv-achtige auto, een auto van nu dus, in een vreselijke spleet in het wegdek verdwijnen, terwijl eromheen de huizen ook niet echt meer lekker op hun funderinkjes staan, reclameborden knakken om, elektriciteitspalen breken als luciferhoutjes. Ofwel, twee dagen voordat ik met mijn gezin deze prachtige stad ga binnenreizen, besteedt de krant een volledige bijlage aan de grote aardbeving van... 2006. En de eerste paginagrote advertentie, want zo'n bijlage moet wel betaald worden natuurlijk, is van een tv-station dat een foto uit 1906 afdrukt (koets verdwijnt in plaveisel, gebouwen branden, de hemel is felrood) met als aanprijzing voor hun aardbevingsprogrammering deze fijne zin: 'ONE MINUTE of panic stretches into 74 HOURS of complete destruction'. Mooi. Zeker nadat ik heb doorgerekend dat wij ook van plan zijn (precies) zo'n 74 uur in de stad te blijven, begin ik er steeds meer zin in te krijgen. Want één minuut pure paniek kan ik aan mijn directe omgeving wel overlaten, mijn gezin schrikt al als ik mijn haar een keer niet felblauw of geel heb.

Ik lees verder. Een 'bevingoloog' beschrijft wat ons te wachten staat: je ligt in je bed, je voelt een vreselijke schok, je wordt wakker en alles gaat schudden, heen en weer, en dan weer heen en weer et cetera. Het enige wat je kan doen is op handen en knieën gaan zitten en wachten op het einde. Van de beving.

Op de pagina ernaast is met een computermodel berekend hoeveel mensen zullen doodgaan, hoeveel mensen zwaargewond zullen raken enzoverder. En wat de zee met de baai gaat doen, waar de snelwegen blijven als de aarde wegzakt en dat een behoorlijk deel van de huizen in het westen van de stad dusdanig is gebouwd dat ze zeker plat zullen gaan. U begrijpt waar ons hotel zich bevindt. Maar het aardigst is de conclusie van al dit moois: de echte deskundigen vragen zich allang niet meer af óf er een *next one* komt, maar wannéér dat gebeurt. *San Francisco, here we come!*

Lament

you used to be all over me
it used to be like that
these days when evening falls
you read your book and feed the cat

you used to get your fill with me
'till I was bruised and sore
these days you hardly come at all
and can't come back for more

you used to use me suck me eat me
lick me 'till I cried
these days you don't come near to me
you haven't even tried

you used to sigh 'a love like ours
will open every door'
these days behind our bedroomwall
you never moan, you snore

don't you love me anymore?
just tell me if it's so
and tell me is it all
because I died three weeks ago?

okay I died, you're right I'm dead
lets not get in a tiff
just sleep with me again, just once
I've never been so stiff

oh yes I'm stiff I'm hard I'm big
engorged with blood for you
I am your stonedead loverman
I am your dream come true

'I'll love you till I die' I said
when I was still alive
now you can mount me hours on end
I hope you will survive

and if you don't and die on me
(your body's had enough)
embrace in rigor mortis means
forever making love!

ReNew Orleans

Weet u nog, Katrina? Vreselijke storm en overstromingen, verwoesting van delen van New Orleans en omliggende plaatsen, vele slachtoffers, tienduizenden die letterlijk huis en haard kwijtraakten, aan het wassende water, en die verspreid over de Verenigde Staten een (tijdelijke) plek vonden om te gaan wonen. En leven.

Hoe lang is dat nou geleden... een half jaar? Langer? Hoe zou het nu gaan in New Orleans, na alle aandacht voor het natuurgeweld en de slachtoffers, na de vele zalvende woorden en beloftes van politici en andere leiders, na acties en inzamelingen, na harde uitspraken van mensen die zich oprecht betrokken voelden bij de slachtoffers (hiphop-ster Kanye West: 'George Bush doesn't care about black people'), na de vele pagina's die geschreven zijn over wat er moet gebeuren, wat er zou gaan gebeuren.

Ik geef toe, je bent er niet steeds mee bezig, maar ik bemerk ook bij mezelf dat je er toch van uitgaat dat er in dat halve jaar sinds de ramp wel heel veel gebeurd zal zijn, het is tenslotte een van de grote steden in het rijkste land ter wereld, vele duizenden zijn rechtstreeks betrokken, vele tienduizenden indirect, dus... dus...

Ik las van de week de *RollingStone*, bekend als muziekblad en chroniqueur van jongerencultuur, maar ook al jaren kritisch volger van Amerikaanse en internationale politiek, en verslagbrenger van sociale problematiek in dit grote prachtige vreselijke land. Een uitgebreid stuk over New Orleans, en vooral over wat er eigenlijk gebeurd is sinds de president eind

december de Gulf Opportunity Zone Act 2005 tekende, en erbij zei dat dit het begin van de wederopbouw betekende, en dat
het kleine ondernemers zou helpen iets op te bouwen, voor
zichzelf, voor de terugkerende bewoners. En wat blijkt dan, in
de maanden erna: die wet doet niet meer dan grote bedrijven
taxbreaks geven, zodat ze aan de slag kunnen met grote projec-
ten; ondertussen proberen tussenpersonen zoveel mogelijk
bewoners zover te krijgen hun stukje grond of restje huis maar
te verkopen, want dat maakt mooi plaats voor die grote pro-
jecten. (Wat er gebouwd gaat worden? Casino's, malls, condo's
met dure woningen...) Het blijkt niemand op hoger niveau
ook maar iets uit te maken dat deze ontwikkelingen betekenen
dat heel veel oorspronkelijke bewoners, heel veel zwarte inwoners van New Orleans en Biloxi en noem maar op, op deze manier nooit meer kunnen terugkeren. (Cynische gedachte: dat
komt de Republikeinen wel erg goed uit, als al die zwarte De-
mocraten-stemmers verspreid worden over 49 andere staten.)
En die immense bedragen die door de regering en anderen in
het gebied gepompt worden, gaan naar die grote bedrijven en
dan via *sub-contractors* en onderaannemers en tussenfiguren
en koppelbazen naar degenen die het werk doen, en dat zijn,
inderdaad, vooral de illegalen over wie ondertussen op politiek niveau gepraat wordt (uitzetten? Grenzen nog dichter?
Criminaliseren...?). Simpel gezegd: de regering betaalt ruim 36
dollar per werkuur, de arbeider krijgt daar ongeveer eenzesde
van, als de laatste onderaannemer althans niet met de poen
verdwijnt. Het is een opsomming die maar doorgaat, er zijn
zoveel andere belangen, er wordt zoveel gesjoemeld, er wordt
uiteindelijk zo weinig gedaan voor degenen die letterlijk alles
weggevaagd zagen worden door storm en water. En ruim zes
maanden na de storm en de vloed zien grote delen van het getroffen gebied eruit als *A Grand Canyon of misery and despair.*

O ja, één ding nog, over cynisme gesproken: Barbara Bush,

Mening

Wat is dat nog ingewikkeld, vrijheid van meningsuiting. Dat je mag zeggen (schrijven, tekenen) wat je vindt en dat een ander daar dan weer op mag reageren. Omdat we dat nou eenmaal zo hebben afgesproken, omdat we met zijn allen beschaafd en sociaal genoeg zijn om te kunnen omgaan met meningen die ons niet bevallen. En dat we doorhebben dat het zelfs wat op kan leveren, een mening waar je het (vooralsnog) helemaal niet mee eens bent, omdat juist zo'n mening je aan het denken zet. Ik lees bijvoorbeeld heel graag columns van mensen van wie ik weet dat ze nogal anders naar de wereld kijken dan ikzelf, zoals u wellicht op dit moment ook.

De afgelopen maanden was de *LA Times* mijn dagelijkse krant, omdat dat *by far* de beste krant hier in de buurt is (en in de hele vs, denk ik), en omdat er elke dag weer een paar stukken in stonden die me aan het denken zetten. Bijvoorbeeld over meningsuiting en de vrijheid daarvan, over de Deense cartoons en reacties daarop, over wat je wel mag zeggen en wat niet en wie dat eventueel zou bepalen.

Eén ding weet ik zo langzamerhand zekerder dan ooit: niemand, echt helemaal niemand kan en mag voor anderen bepalen wat wel mag en wat niet. Dan mag je voor een religie spreken of een politiek ideaal of een machthebber of een wereldbeeld, dan mag je moslim zijn of christen, dan mag je zeker weten dat je heel erg gelijk hebt, en de ander niet, dan nog, dan *juist* mag en moet de ander kunnen spreken en schrijven. En tekenen.

Timothy Garton Ash legde in genoemde krant uit dat intimidatie, dreigen met geweld, gebruik van geweld zelfs, altijd de verkeerde afloop zal kennen, altijd tot uiteindelijke onvrijheid zal leiden. Waarmee hij, dus, pleitte voor die vrijheid van meningsuiting. En hij direct aansluitend de volgende stap maakte: ook de Holocaust ontkennen, hoe vreselijk je dat ook vindt, is toegestaan. We kunnen erover in discussie, we kunnen bewijzen dat het anders ligt, we kunnen de Holocaustontkenner uitlachen of uitfoeteren of wat-dan-ook, maar hij mag het doen.

Zoals de Turkse regering mag beweren dat er nooit een massamoord op Armeniërs is geweest (en diezelfde regering zou moeten toestaan dat anderen iets anders beweren... als je dat namelijk niet doet, laat je zien dat jouw vrijheid niet voor anderen geldt, laat je zien wat voor soort bewind je eigenlijk bent, of nastreeft. En dan heb ik het nog niet eens over de Koerden of de Assyriërs gehad).

Zoals iemand mag beweren dat de hele wereld is geschapen door een Schepper.

Zoals iemand een grappig bedoelde tekening mag maken over een geestelijk leider.

Zoals Oriana Fallaci het gevaar van een geïslamiseerd Europa mag beschrijven. Mocht beschrijven.

Zoals de columnist mag schrijven dat iedereen die de vrijheid van meningsuiting inperkt, tegengaat, met intimidatie of geweld kapotmaakt, per definitie niet deugt. Fout is.

Want je mag geloven, vinden, dat iets helemaal niet klopt of deugt of tegen het ware geloof ingaat of beledigend is of helemaal niet waar, dat mag allemaal, dat mag je ook allemaal laten merken en opschrijven en uitschreeuwen desnoods, maar je mag nooit tegengaan dát het beweerd wordt, dát het geschreven wordt, dát het getekend wordt. Die vrijheid is absoluut. Maar ik zei al, het is ingewikkeld.

Kiss

In Amerika is, zoals bekend, alles groter. De auto's, de borsten, de porties, het politieke onvermogen, de mensen ook.

En juist daarom was ik zo blij met een berichtje dat ik vorige week uit de krant scheurde, want het leed dat erachter schuilt is vast van formaat, maar de hoofdpersonen zijn allesbehalve groot. Zijn namelijk klein. Waarmee ik gelijk op het probleem kom hoe mensen-van-klein-formaat op (politiek) correcte wijze aangeduid dienen te worden. Ik weet het echt niet, wellicht kan een ingezonden brief me komende week even bijlichten. 'Dwerg' lijkt me niet oké (al was het maar wegens 'connocties' met dwergwerpen), 'lilliputters' ook niet (meer Gulliver en zijn reis), *short people* vind ik goed, maar toen Randy Newman ze ooit aldus bezong was het ook niet goed... Ik weet het niet. Laat me dus gebruikmaken van de term *body-growthly-challenged people*. Want dat klinkt officieel, en laat gelijk zien dat er een stukje uitdaging zit in het geringe lichaamsformaat. Mooi.

En waar gaat het nou om: er blijkt een band te bestaan, geheel bestaand uit bgcp, die optreden als Kiss-coverband. Alleen die wetenschap maakt voor mij een dag al goed. Ze heten Mini-Kiss, en hebben maar heel weinig make-up nodig, maar dat laatste heb ik natuurlijk bedacht. Ze bestaan, het bestaat, er is een moment geweest dat vier bgcp bij elkaar zijn gaan zitten, en na een paar uur zeker wisten dat dit het gaatje in de entertainmentmarkt was waar zij doorheen zouden kruipen, om er aan de andere kant als herboren uit te komen als Gene Simmons en Paul Stanley en die andere twee – van wie niemand

ooit de naam onthoudt, omdat ze ook maar gewoon (stijfop-
gemaakte) werknemers waren, en zijn, van die eerste twee –
stuk voor stuk één meter twintig groot. En verdomd, het werkte, het werkt! Totdat de drummer met ruzie de band verliet.
Wat dat betreft zijn bgcp net gewone muzikanten. Maar wat
deed deze onverlaat, Little Tim Loomis, hij begon zijn eigen
Kiss-coverband. Uitroepteken. De naam was snel bedacht, Mini-Kiss, jazeker, en ook hij ronselde een paar bgcp als mede-
muzikanten. Plus een vrouw van 350 pond. Ik weet zo langzamerhand niet meer wat Kiss ervan vindt, laat staan of jullie me
nog geloven, maar het is regel voor regel de waarheid en niks
dan dat.

En toen ging het vorige week gierend mis, omdat de zanger
van Tiny in Las Vegas bij een concert van Mini opdook, om
Tim op zijn bek te slaan. (Hij was langs security gekomen door
te zeggen dat hij bij de band hoorde... al die bgcp lijken tenslotte op elkaar.) Goddank, net voordat de vrouw in de band (160
kilo!) op hem ging zitten werd hij het pand uitgeleid. Maar een
rechtszaak over het miniatuur-Kiss-concept is onvermijdelijk.
Wordt een grote zaak, lijkt me.

Everybody's high here!*

Als je met een vliegtuig landt heb je geen idee van hoogte. Omdat je landt. Op de grond. En dat die grond zich wellicht veel hoger bevindt dan je gewend bent, dat weet je pas als je de reisgids goed hebt doorgelezen (dat doet mijn vriendin altijd), je anderszins goed op de reis hebt voorbereid (dat doet mijn vriendin altijd) of enige inspanning gaat leveren. Een koffer optillen, met enige nadruk meer dan vier lange zinnen uitspreken in een discussie over het Amerikaanse antiterreurbeleid en de samenwerking dienaangaande met zeg Europa, van-die-dingen.

We zijn in Colorado, sinds een week, en die staat bevindt zich zo'n beetje in zijn geheel op hoogtes waarvoor je in Europa toch minimaal naar Alpen of Pyreneeën moet tuffen. Steden als Denver, waar wij landden, en Colorado Springs zitten al boven de 6000 voet (een kleine 2 kilometer boven zeeniveau) (en dat is dan met vloed) (je ziet wel, geografisch ben ik niet heel sterk, ik ben meer een man van het gevoel), maar wij hadden natuurlijk een plekje *off the beaten track*, hetgeen betekende dat we bij Colorado Springs rechtsaf gingen en de Rockies inreden. Opreden. Omhoog, in elk geval. Richting Woodland Park, een plaatsje dat zich bij binnenrijden al aanprijst als *city above the clouds*. Tzalwel, denk je, als je dat in de reisgids gelezen zou hebben, maar ik ben bang dat het hier eigenlijk ge-

---

* Terwijl ik dit schreef viel Keith Richards (62) op Fiji uit een palmboom, er zijn kortom momenten dat je even niet high bent.

woon waar is. Ons huis zit tegen de 10.000 voet, hetgeen inderdaad betekent een kleine 3000 meter. Dat is hoog, bij ons thuis.
En dat van die inspanning merkte ik dan ook al snel: een eerste
rustig traininkje begon hier voor de deur, *the dirtroad* op naar
de wat meer doorgaande weg, tegen een heuvel op. Dat klimmetje is zo'n 600 meter, een stukkie van niks, maar al na zo'n
300 meter reageerde mijn (toch getrainde) lichaam alsof ik op
een atletiekbaan bezig was met snelle 400'tjes, terwijl ik ondertussen series sit-ups deed en aan beide armen een gewicht van
8 kilo had hangen. En de dag ervoor een redelijk grote hoeveelheid alcohol had weggeklokt. Niet helemaal realistisch, geef ik
toe, maar het lichaam ging echt op alle mogelijke manieren 'in
het rood'. Benen, andere spieren, ademhaling, hoofd zelfs... ER
IS HIER GEWOON GEEN ZUURSTOF! En dat is niet eerlijk, als
je inspanning levert. Boven bij de weg gekomen moest ik eerst
een stuk joggen om enigszins te herstellen, maar bij elk volgend sneller of stijgend stuk begon het hele lichaam weer net
zo hard te piepen. Proefondervindelijk heb ik in de dagen
sindsdien uitgevonden dat je gewoon twee keer zo vaak moet
ademen, maar dat je dat natuurlijk niet moet doen omdat je
dan gaat hyperventileren. Deze laatste zin heet in mijn univer-
sum 'een vrouwenredenering', dat is iets beweren en direct
aansluitend met net zoveel overtuiging het tegenovergestelde
vinden. Mooi. Dat ik dat ook kan.

Vandaag waren we even in Manitou Springs, een dorpje verderop, hippies en rockclimbers en stenenverzamelaars, een
heel leuke boekwinkel. In een etalage hing een T-shirt met de
opdruk die nu boven aan dit stukje staat. En een grote grijns
kost nauwelijks zuurstof.

Sluit me nog even in je hart

('Keep me in your heart for a while' – Warren Zevon)

de avond valt dicht als een meedogenloos gordijn
sluit me nog even in je hart
ik zou niets liever willen dan altijd bij je zijn
sluit me nog even in je hart

als je morgen wakker wordt de zon op je gezicht
sluit me nog even in je hart
weet dan: ik ben bij je sinds het eerste ochtendlicht
sluit me nog even in je hart

sha la la la la...
sluit me nog even in je hart
sha la la la...
sluit me nog even in je hart

soms zijn er momenten dat je lacht om iets van toen
terwijl je verdriet je verwart
wij horen bij elkaar als jouw lippen bij mijn zoen
sluit me nog even in je hart

denk zo nu en dan
droom wanneer je kan
mijn liefde een briesje langs je arm
de winter wit en koud
ik zal bij je zijn
mijn lief, ik hou je altijd warm

Kenianen lopen zoals God het heeft bedacht
sluit me nog even in je hart
mijn wedstrijd is voorbij en je armen zijn zo zacht
sluit me nog even in je hart

sha la la la...

Met Johan langs de afgrond

Op zaterdag stond de glimlachende eigenares van dit huis in Colorado op de WELCOME-mat. 'You've got some mail!' zei ze en overhandigde me een envelopje van niks (van mijn zaakwaarneemster in Nederland hoor ik ondertussen dat ze elke twee, drie weken een krat vol post voor me door- en wegwerkt... heerlijk systeem, zo). Een envelopje van niks, maar wat was ik blij toen ik een kartonnen hoesje aantrof, met slechts deze opdruk: THX JHN. Juist... thx jhn, ofwel, de nieuwe Johan. Een plaat waar jaren over gedaan lijkt, een plaat waar ik zeker de afgelopen drie, vier maanden – sinds ik vernam dat-ie er nu echt zeker aan zat te komen – op gewacht heb. *Pergola*, de vorige plaat, is naar mijn soms bescheiden mening de beste Nederlandse popplaat ooit, ze speelden wel eens live bij *Leuk is Anders* en *Spijkers met Koppen* – van die momenten dat je als presentator de mooist denkbare baan en plek hebt – en sloten ooit een aflevering van mijn tv-programma *Later wordt het leuk* af, om precies vijf minuten voor middernacht, met 'Day is done'. Ik draaide de nieuwe liedjes al twee keer op de hightech-huiskamerinstallatie, maar vandaag, zondag, kwamen ze pas echt helemaal binnen. We reden vanuit Canon City, waar we een volstrekt uitgestorven stadje hadden getroffen – tuurlijk, tweede zondag van mei, het Blossomfestival! – over een doorgaande maar heel erg onverharde weg, bocht na bocht na bocht, kuilen en rode stof, links een bergwand, rechts bijna continu een afgrond, zon-schaduw-zon, wat dorre bomen hier en daar, en steeds weer twijfelen tussen doodsangst en genieten van alle doorkijkjes en uitzichten. En Johan zong me toe.

Oké, 'Oceans', een prachtlied van verlangen, heeft weinig van doen met afgronden en bergwanden, maar als je voor haar over de zeebodem wilt kruipen is zo'n steenslagbergweg ook nog wel te doen. Denk ik.

Zoals ik ook denk dat THX over verlangen gaat, over liefde en verloren liefde, over die ene persoon nodig hebben, over het leven kortom. En hoe het komt weet ik niet precies, maar de liedjes komen hard binnen, soms zo hard dat ik niet weet of ik wil dat het liedje stopt, om me niet langer te ontroeren, of juist dat het nooit meer ophoudt, zo mooi...

Als ik de recensie voor de *Uncut* of de *RollingStone* zou mogen schrijven zou ik de woorden *achingly beautiful* gebruiken, soms zijn de vocalen, de woorden, de klanken zo mooi dat het me pijn doet. Overdreven? Ik dacht het niet. Vijftig minuten lang hoorde ik weer eens hoe mooi popmuziek kan zijn, en hoeveel je in liedjes kan zeggen. En toen bereikten we uiteindelijk ook nog iets van asfalt, in de avondzon. *You know this day won't last forever, get on with life, she said.* Thx, Jhn!

Uitdaging

Het mei-nummer van *Vanity Fair*, glossy tijdschrift over het goede leven en de mensen die dat leven kunnen leiden, is groen. *Special Green Issue* staat voorop, naast een foto van Julia Roberts, George Clooney, Robert Kennedy jr. en Al Gore. Allen ook gehuld in groentinten, en meestal nog eko-oké ook. De boodschap van het tijdschrift is een boodschap die we al jaren horen en lezen, maar ook een die groeiende urgentie lijkt te hebben. De boodschap dat we als mensen op aarde snel onderweg zijn naar een punt dat ontwikkelingen als broeikaseffect, zeespiegelstijging en vernietiging van natuur en milieu onomkeerbaar zullen zijn. (Kort na het passeren van dat punt komt het moment dat ook *Elsevier*-journalisten het licht zullen gaan zien. Weer vijf jaar later zal de Amerikaanse regering zich afvragen waarom het geen eb meer wordt.)

Dit is niet de plek om op te sommen wat er gebeurt, en wat er gaat gebeuren in de komende tien, twintig jaar, maar wel om te verwijzen naar het essay dat Al Gore schreef voor het tijdschrift. Omdat hij, onder de titel 'the Moment of truth', laat merken hoe groot zijn zorg en betrokkenheid zijn (sinds hij 'verloor' van George Bush spreekt hij overal ter wereld over dit onderwerp, al in 1992 schreef hij het boek *Earth in the Balance*), maar vooral ook beschrijft dat de crisis waarin we ons als mensheid gemanoeuvreerd hebben mogelijkheden biedt. Een uitdaging is, of zou moeten zijn. Simpel gezegd: doorgaan en -groeien op de manier zoals we de afgelopen zestig jaar gedaan hebben, is onmogelijk, en zo goed als zeker fataal voor de aarde en een behoorlijk deel van het leven op aarde. Om de Amerikanen duidelijk te maken in welke richting we gaan: Katrina, de orkaan waarvan New Orleans zich zoals het er nu uitziet nooit meer helemaal zal herstellen, was maar een voorproefje van wat er gaat gebeuren als we het klimaat blijven beïnvloeden. Maar, en dat is het inspirerende van het stuk van Gore, we kunnen een andere kant op, we kunnen groei vertalen naar schone energie en behoud, in plaats van opmaken en vernietigen, we kunnen banen creëren (!) en geld verdienen en doorleven zoals we willen leven, op een manier die toekomst heeft. Letterlijk. We moeten alleen de durf hebben (en de politiek dwingen die durf te hebben) een andere kant op te gaan. En verdomd, zoiets simpels als Schiphol niet maar door laten groeien, de A6A9 vooral niet aanleggen, zou iets van die visie, die durf kunnen laten zien.

Uitdaging (2)

Vorige keer had ik het over het essay dat Al Gore schreef over de crisis waarin de aarde zich bevindt, waarin wij als bewoners ons bevinden. En merkte ik hoe ik geïnspireerd raakte door twee dingen: de mogelijkheid die iedereen heeft om een verschil te maken, invloed te hebben (iets wat me al jaren bezighoudt als het gaat om verdeling van de welvaart op de wereld, en het onrecht dat wij 'economische afspraken' durven noemen); en de kansen die de crisis biedt. Kansen om een andere kant op te gaan, keuzes te maken die op korte termijn harde gevolgen zullen hebben maar op de lange termijn veel beter zullen uitpakken dan wat we nu doen, bewust of onbewust. En nou maar hopen dat het voorgaande niet te 'grote woorden' zijn voor in een boekje van een mager mannetje.

Oké, een van de tijdschriften waarvoor ik schrijf gaat over banen. Over werk, over ander werk, over mogelijkheden. En dat was een van de dingen die ik uit dat essay – en de rest van het tijdschrift waar het in stond – haalde: wie nu nog steeds zegt dat alleen economisch groeien op de manier zoals we dat al decennia doen, banen oplevert en zekerheden voor ons en de volgende generaties, wie nu nog steeds bij allerlei harde beslissingen – Schiphol uitbreiden, wegen aanleggen en verbreden, waterverzuipende industrie en energieverslurpende kassen alle ruimte geven – beweert dat we het wel móeten, dat de economische werkelijkheid dat van ons vraagt, dat deze weg de enige is die werkgelegenheid beschermt en uitbreidt, iedereen die dat nog steeds beweert is of een leugenaar, of heel slecht ingelicht, of mist de durf iets verder te kijken dan de volgende verkiezing lang is. Als u begrijpt wat ik bedoel.

We kunnen niet verder op de weg die we nu bewandelen, en be-Hummeren, omdat natuurlijke hulpbronnen opraken, omdat het evenwicht op aarde onherstelbaar verstoord dreigt te raken. En waar vinden we andere banen dan? Waar zitten de uitdagingen? Dat gaat van kleding maken van gerecyclede plastic flessen tot werkgelegenheid in alternatieve energie en 'milieu-neutraal' bouwen, dat gaat van (letterlijk) bomen planten die je bijdrage aan het broeikaseffect neutraliseren tot aan het bij elkaar zien te brengen van grote bedrijven en lokale overheden die 'hun' milieu willen beschermen (die dan vaak meer gemeen blijken te hebben dan je op het eerste gezicht zou verwachten). Het gaat om visie, het gaat om durf.

Elpee

Een alternatief platenzaakje ergens in Colorado Springs, ruim een week geleden. (Net als in Nederland vermijd ik hier de ketens, qua platen en boeken, bezoek alleen de kleine winkels en '*alternative recordstores*'. Steun de man en vrouw met echte liefde voor het vak!) Ik heb net de nieuwe Springsteen uit de bak geplukt, *We shall overcome*, en verheug me al dagen op zijn folkgeluid, zijn versies van traditionals en andere bijna vervlogen liedjes uit de Amerikaanse geschiedenis. Het meisje met het gedurfde kapsel, zwart met paarse strepen, ietwat a-sync geknipt, vraagt: '*Would you like the vinyl version with that?*' Ik glimlach alsof ik precies weet wat ze bedoelt, mijn vaste manier van doen met vrouwen, mompel '*Sure, please, thanx*'. Niet echt een goedlopende zin, maar de betekenis komt helemaal over. Hetgeen dan weer wat afwijkt van mijn gemiddelde contact met vrouwen, maar goed, ondertussen moet ik mijn dochter te woord staan. Ik loop alweer drie antwoorden achter, geloof ik. 'Is die kleur niks voor jou papa?' (Haar kapsel) 'Wat vroeg ze? Wat gaat ze halen?' Ik antwoord wat ontwijkend qua zwartpaars en krijg op hetzelfde moment het antwoord op de volgende twee vragen in handen gedrukt. Een elpee, nee, een dubbelelpee, van die Springsteen-plaat dus, als extraatje voor de fans, denk ik. Ruim 12 inch in doorsnee, vanzelfsprekend, die hoes, met sepiafoto van Bruce en de band en een sticker die aanprijst dat het geheel op '180 gram vinyl' is geperst. Ik weet er niet genoeg van om hier uit te leggen of dat normaal is, of was, vijftien jaar geleden, maar het voelt zwaar. En het voelt naar vroeger.

'Wat is dat, papa?'

'Dit, liefie, is een elpee...' Een dubbelelpee zelfs, twee schijven van een soort plastic, met muziek. Dit is mijn verleden in een glimmende kartonnen hoes. Dit is fl 13,95 voor een nieuwe lp, dit is Concerto en Waterlooplein, op zoek naar ramsj en aanbiedingen en vooral die ene plaat die je al jaren zoekt, dit is met een sporttas vol lp's in de bus naar Amsterdam-Noord waar de piraat zetelde waar ik mijn muziekjes draaide, dit is voorzichtig uit de hoes en de binnenhoes halen, op de rubberen mat leggen en nog voorzichtiger de naald in de groef leggen... even wachten... muziek! Dit is lang geleden, dit is nu. Terug thuis zag ik dat de cd van Bruce een dual-disc is, met een dvd aan de onderkant. Dat is 2006, dat begrijp ik ook wel.

Leven met oorlog

Hij had verwacht dat een jonge kwade zanger het zou doen, maar toen dat niet gebeurde en de berichten in Amerikaanse kranten hem tot tranen toe beroerden, besloot Neil Young het zelf maar te doen. Een plaat maken met woedende liedjes over de oorlog in Irak, de oorlog tegen terrorisme, een liegende president, noem maar op. Binnen een paar weken schreef de oude meester de liedjes en nam ze op, rauw, simpel, woedend inderdaad. En op het moment dat ik dit schrijf, meldt zijn website dat de cd, *Living with war*, rechtstreeks van de perserijen naar winkels wordt vervoerd, om niet langs ingewikkelde distributiekanalen te hoeven. Plus, de afgelopen twee weken waren alle liedjes al te beluisteren op een speciaal daarvoor gecreëerde site en aansluitend op allerlei fansites all over the worldwide web.

Young vertelt op zijn site dat hij, bijna toevallig, een stuk las in *USA Today* over een vliegtuig dat is omgebouwd tot een state of the art ziekenhuis, om zoveel mogelijk gewonde soldaten in en uit Irak te kunnen helpen. Prachtig natuurlijk, maar waarom is er een oorlog voor nodig...? En hoe worden al die honderden dode soldaten naar huis gebracht? Het deed mij gelijk denken aan een serie artikelen die ik anderhalve maand geleden las in de *LA Times* – een van de meest kritische kranten van de vs, geloof ik – waarin vier soldaten die (zwaar) gewond raakten in Irak werden gevolgd, in beeld en tekst, vanaf het moment dat ze het fronthospitaal werden binnengebracht tot aan het moment dat ze weer thuis waren, hersteld of revaliderend of levenslang invalide. Indrukwekkende stukken, grootse daden van doktoren en verplegers, vertrouwen van de slachtoffers dat het weer goed zou komen en dat ze voor een rechtvaardige en waardige zaak vochten. En weer zouden vechten. Als je de leugens en halve waarheden van de afgelopen jaren optelt, vind ik het eigenlijk ongelooflijk dat dat vertrouwen er is, er nog is. En word ik echt woedend als ik in diezelfde krant lees dat dezelfde strijd tegen terrorisme nog steeds betekent dat Guantanamo Bay bestaat, dat er gemarteld wordt en tegen alle regels in mensen worden vastgehouden, dat tegen de Europese bondgenoten continu is gelogen over die geheime CIA-vluchten (met wie? waarheen?) over Europees grondgebied.

Dat soort woede, dat gevoel van niet-begrijpen, is wat Neil Young ertoe bracht de plaat *Living with war* te maken en uit te brengen. Zoals hij ooit, in de jaren zestig, een andere woede gebruikte om 'Ohio' te schrijven. Omdat, toen, nu, vrijheid en vrijheid van meningsuiting, nooit nooit nooit met geweld mag worden onderdrukt of onmogelijk gemaakt. En, denk ik, omdat oorlog nooit vrede zal brengen, omdat geweld nooit vrijheid en democratie zal brengen, omdat leugens altijd leugens zullen blijven, hoe je ze ook inkleedt of goedpraat of noemt.

Ten slotte, dit is wat Neil Young adviseert, mei 2006:

Let's impeach the president for lying
And leading our country into war
Abusing all the power that we gave him
And shipping all our money out the door

He's the man who hired all the criminals
The White House shadows who hide behind closed doors
And bend the facts to fit with their new stories
Of why we have to send our men to war

Let's impeach the president for spying
On citizens inside their own homes
Breaking every law in the country
By tapping our computers and telephones

What if Al Qaeda blew up the levees
Would New Orleans have been safer that way
Sheltered by our government's protection
Or was someone just not home that day?

Let's impeach the president
For hijacking our religion and using it to get elected
Dividing our country into colors
And still leaving black people neglected

Thank god he's cracking down on steroids
Since he sold his old baseball team
There's lot of people looking at big trouble
But of course the president is clean

Thank God

Support the troops!

Afgelopen weekend bezocht mijn gezin het San Diego Wild Animal Park. En ik mocht mee. We vonden een groot heuvelachtig gebied, met flarden Afrika, plukjes Azië, een hoop bijna uitgestorven dieren, een twintigtal fastfood-plekken en vele felgeklede Amerikanen die van hun springbreak gebruikmaakten om eens te bekijken hoe de rest van de wereld er eigenlijk uitziet. En ruikt, ook.

Een attractie waar mijn gezin zeker heen wilde was de roofvogelshow (*Frequent Flyer* genaamd), in een goedgevuld amfitheater. En ik mocht mee. Om twaalf uur precies klikte de p.a. aan en hoorden we ongeveer dit: 'Dames en heren, laten we voordat we beginnen aan de show onze steun betuigen aan de mannen en vrouwen die vechten in Irak!' Ik denk dat zo'n beetje iedereen applaudisseerde, behalve wij dan. Mijn kinderen omdat die best willen klappen, maar alleen als ze eerst is uitgelegd waarvoor dan wel, en mijn vriendin en ik omdat we het idee hadden, even snel, dat we dan zouden applaudisseren voor een oorlog waar we eigenlijk de handjes niet voor op elkaar willen slaan. Aan de andere kant, ik zou alle steun willen geven aan al die mannen en vrouwen die daar, in vaak onmogelijke situaties, proberen te overleven en wellicht nog iets goeds willen bereiken ook. Voor dat land en voor al die Irakezen die nu ook wel eens gewoon willen werken en sporten en een goed boek lezen en de kans willen krijgen naar McDonald's of Starbucks te gaan.

Ik vraag me dus ook af, bij alle Amerikaanse vlaggen die ik zie wapperen en de SUPPORT OUR TROOPS-stickers die ik op heel veel auto's zie zitten, wat betekent het? Steun je die oorlog? Denk je dat je het terrorisme aan het verslaan bent? Steun je Bush en Cheney? Of is het gewoon Jan (Juan, Becky) Soldaat waar je aan denkt, en die je een behouden thuiskomst toewenst? Is zo'n sticker, zo'n applaus een politiek statement of gewoon een steunbetuiging aan tienduizenden jonge landgenoten in een woestijn van oorlog?

Elke week weer tref ik in de *LA Times* een pagina *obituaries* van soldaten, bijna allemaal gestorven in Irak, soms in Afghanistan of elders. Ze zijn 19, 20, 21 vaak en altijd tref ik er een paar van in de dertig. Dan kun je partner en kinderen er zelf wel bij denken. Het ontroert me, steeds weer, en maakt me boos, want als die oorlog inderdaad op leugens gebaseerd is, dan zijn zij toch degenen waartegen het allerergst gelogen is. Met het vreselijkste gevolg.

Maar ja, krijg dat maar eens op een sticker.

Crosstraining in Death Valley

Death Valley is de warmste plek op deze aarde, hoewel ik best wil aannemen dat het zo nu en dan in de Gobiwoestijn of ergens in een windstil dal in Mexico even nóg warmer is. Maar Death Valley is warm, echt warm. Vandaar ook de naam, denk ik, vandaar ook dat zo'n beetje alle campings en aanverwante eind april gewoon dichtgaan. Omdat het dan te warm wordt. En je het gebied alleen nog maar binnen mag als je in een auto rijdt die geheel gevuld is met drinkwater. En je je hele lichaam hebt laten insmeren met factor 65.

Het is dus warm, hier. Dat lijkt me duidelijk. Schrijf ik op mijn laptopje, terwijl onze camper staat uit te hijgen van de beklimming van de Towne Pass. Dat is de asfaltweg die aan de westkant Death Valley uitloopt, en daar een bergje van 5000 feet tegenkomt. Zeg 1700 meter. Omhoog. En die berg, die pas, is dan ook weer de reden dat ik wat zit uit te hijgen, nadruppend op het laptopje. Na mijn beklimming. En dat bleek, op mijn atb-achtige fiets met best dikke banden, precies 59 minuten heel hard werken. Bij een graadje of 28. Ja, op de fiets. Ik ben echt niet te beroerd dit soort passen hardlopend te bedwingen, of althans een poging in die richting te doen (vorig jaar in Ierland nog een paar pittige klimduurlopen overleefd), maar ik zit in een mag-niet-lopen-periode. Omdat mijn rechtervoetzool al twee maanden niet voelde zoals hij moet voelen, en minder lopen en behandelen en zachte ondergrond allemaal niet afdoende bleek. Drie weken helemaal niet lopen bracht me uiteindelijk in een soort crosstrainingmode. Neem vandaag: tien minuten nadat een coyote me wakker jankte

(07.54 uur) deed ik twintig minuten oefeningen voor buik en rug en heupen en hamstrings en allerlei andere spiergroepjes die schreeuwen om aandacht, en dat ook bijna elke dag. Ruim een uur later lag ik in het zwembadje van Stovepipe Wells (bron vernoemd naar kachelpijp, denk ik, maar ook dorpje bestaande uit allerlei dingen die over vier weken dichtgaan), met een blauwe brede drijfband strak om de heupen. Aquajoggen... bijna elke dag het zwembad in, en dan dertig, veertig minuten doen alsof je hardloopt, terwijl je zweeft in het water. Ontspannen rondjes, tempo's, interval, alles kan, en zeker op een plek als deze, strakblauwe lucht, woestijn rondom, besneeuwde Sierra Nevada-toppen in de verte, vind ik het eigenlijk best leuk.

Weer anderhalf uur later picknickte mijn gezin zich aan de voet van deze pas door een lichte lunch heen, en stond ik op de trappers. Elke paar kilometer een bordje dat je weer 1000 voet hoger was, en drie keer tijdens de klim een grote tank met radiatorwater langs de weg. Voor automobilisten die toch de airco aan hadden laten staan. Zwaar, erg zwaar, geen moment van rust of uithijgen tijdens de hele klim, doorweekt petje op mijn hoofd, halve liter vocht onder handbereik, en maar doormalen. Zodat ik, volgende keer, als ik weer loop, sterker en soepeler zal zijn dan ooit.

Pike's Peak

Lange lange asfaltweg, Colorado. Asfaltweg terug, om precies te zijn, drie kwartier lang, maar dat is mijn eigen schuld. Ben net namelijk zo'n zelfde drie kwartier die andere kant op gereden. Gereden, ja. De loper fietst. In Colorado. Ik zou niets liever willen dan lopen, heel hard lopen, hier, maar die voetzoolblessure weerhoudt me daarvan. Dus ik loop wel, maar niet zo veel en zo vaak als ik zou willen. Gelukkig is fietsen ook mooi. Over een weg als deze. Het is een doorgaande weg, van Woodland Park – waar wij tijdelijk wonen – naar helemaal-nergens, waar vermoedelijk maar heel weinig mensen wonen, want de weg is opvallend rustig. Pick-uptruckje met boswachtertypes, een grote gele schoolbus, twee lederen mannen ieder op een Harley, meer is het niet, tot nu toe. Ik heb de weg voor mij alleen. En probeer het tempo zo hoog mogelijk te houden, wat nog een heel karwei blijkt. Colorado ligt namelijk een stuk hoger dan wat wij zeeniveau noemen en is daarnaast ook nog eens een feest van heuvels, bergen en stukken uitermate vals plat. Die hoogte, dat hoef ik u als topatleet of dito coach vast niet uit te duiden, betekent een zuurstofschuld waarbij vergeleken de staatsschuld van Bush en de zijnen opeens heel overzichtelijk lijkt.

Om een voorbeeld te geven: om uit ons tijdelijke huis deze doorgaande weg te bereiken moet ik om te beginnen een best wel steile heuvel op, van een meter of 600. Boven aangekomen, of je nou hardloopt of fietst, denk je dat je aan het eind van je training bent, nee, hoop je dat je aan het eind van je training bent. Qua lichaamssignalen, qua pijn, qua zuurstofschuld dus.

Tuurlijk, een paar minuten ontspannen joggen of peddelen later kan je alsnog wel weer verder, maar ik begreep na één zo'n trainingsbegin wel waarom het Amerikaanse Olympisch Comité zijn trainingscentrum hier verderop in Colorado Springs heeft gebouwd. Wat overigens zeker 800 meter lager ligt dan deze weg. Echt hoor, als je hier kan en mag trainen heb je eigenlijk geen epo meer nodig. En mooi dat het hier is. Uitroepteken. Als je van die heuvels en uitermate vals plat houdt, als je bos om je heen wilt zien en de sneeuw van vannacht die pas smelt als daar reden toe is, als je het mooi vindt om elke keer als je opkijkt in de verre verte voor je Pike's Peak te zien, een echte berg, met echte eeuwige sneeuw erbovenop, schitterend in de zon of even deels verscholen in voorbijdrijvend wolkendek. Ik weet dat er een weg tegenop loopt, eerst asfalt, later redelijk begaanbaar gravel. We zijn er vorige week met de auto naar boven gereden. Prachtig mooi. En nu, elke keer als ik die kant op kijk, roept die berg me. Zoals de Mont Ventoux je altijd roept als je in de Vaucluse fietst. Pike's Peak lokt me, ik ga op de pedalen staan en zoek naar kracht en zuurstof.

Ingewerkt

Eigenlijk is het heel simpel. Ik meld me op het kantoortje, vertel welke plek op deze camping we gebruiken, betaal een bedrag en krijg een bonnetje, een kaartje en een folder. Moet binnen anderhalve minuut af te ronden zijn, wat ik wel lekker
vind, want de zon schijnt en hoe minder tijd ik in kantoor-
(tjes) doorbreng hoe beter het voor alle partijen is. Weet ik uit
ervaring. Vandaag echter blijkt anderhalve minuut ongeveer
net zo haalbaar als een dag Amerikaanse politiek zonder leugens of spins. Niet zozeer omdat ik twee dames tref die gezamenlijk 138 jaar oud zijn, wel omdat de ene dame de andere
aan het inwerken is. Blijkt al snel.

Hoe dat ongeveer gaat: ik heb ons site-nummer genoemd,
zij heeft het herhaald, nog eens gevraagd, op een papiertje geschreven, dat papiertje kwijtgemaakt, nog eens gevraagd (het
is nog steeds 80!), op zo'n post it-ding geschreven en een toets
van haar computer aangetikt. Per ongeluk, maar dat maakt
voor de computer niet uit. Die zoemt zichzelf tot leven en
wacht, met mij, op de dingen die komen gaan. De dame wil
mijn naam, die spel ik, evenals mijn adres in Nederland – ik
ben nu dolph jensens uit amstermad en heb een postcode met
5 cijfers en 1 letter – ik blijk geen enkele kortingkaart te hebben
maar wel twee kinderen plus nul huisdieren en een vriendin
ook, zij tracht die vloed aan persoonlijke informatie op de
juiste plekken in en op haar scherm te krijgen. Haar collega
komt erbij staan en geeft haar wat tips, waar ze moet klikken,
waar ze moet invullen, dat ze nog een keer moet invullen omdat ze te vroeg geklikt heeft en dat ze naar beneden moet scrol-

len om de categorie te vinden waar mijn gezin en ik onder vallen. Ze scrolt zo enthousiast dat ik in één keer tot aan de feestdagen acht plekken tot mijn beschikking heb, dus dat doen we nog een keer.

Ondertussen staat de collega wat wc-reiniger te verkopen aan een man die daar duidelijk behoefte aan heeft en gaat de telefoon. Mijn dame onderbreekt haar incheck-arbeid en neemt de telefoon op. Drukt een knopje in, de rinkel rinkelt door, drukt nog een knopje in, meldt zich met vrolijke stem en de naam van deze camping, waarna de telefoon wederom rinkelt. We naderen nu de slapstick. Jammer dat de computer niet ondertussen begint te roken. Iets later vertrouwt ze me toe dat ze nog niet zo lang met computers werkt, behalve dan in haar vorige baan, bij de *pharmacy*. Echt waar. Ik ben zo blij dat ik daar nooit enig medicijn heb hoeven ophalen.

Driving into Utah

the road's a silver river through this dried out barren land
Utah's coming closer by the mile
halfway 'cross the windshield your fingers touch my hand
the sun'll come out in just a little while

a house with bright green trees is an oasis on the right
behind us skies are threatening and black
you sing with Ryan Adams as we drive into the light
come pick me up there is no going back

we pass thru' towns where Main Streets are just peeling paint
and dust
your hands upon the wheel so sure and strong
I know this car is safe but it is you I really trust
our hearts have been on cruise control so long

this ocean's made of stone: the hills go up&down like waves
if dinosaurs survived they did it here
I'm not here for the history, not looking to get saved
write down my name in joy and not in fear!

I'd love to find the rattlesnakespeedway Springsteen once made his
as everybody wants to find true love
we all look for the promised land I don't know where that is
but being here with you for me's enough

Sin on Sunday

I want to sin on Sunday
while others preach and pray
I'm satan, be my angel
no time to rest, let's play!

I want a sinful weekend
do things that God forbade
a weekend's never lost that way
I think that's why they're made

let's read in Mormon scriptures
what makes you burn in hell
let's do those things together
I'm sure we'll do them well

you check the Bible and Koran
I'll be your horny Buddah-man
the Torah we must not forget
uncircumcised but hard and wet
the Saints of Latter Days say 'no!'
I look you smile let's have a go
and while the Christians get reborn
we sin untill the Mondaymorn'

I want to sin on Sunday
prayer's for the meek
to be ready for your Sabbath
you'd better sin all week...

SL, UT

De grote tempel der mormonen, midden in Salt Lake City, lijkt uit suikerwerk opgetrokken. Waarbij mormonen eigenlijk staat voor 'Church of Jesus Christ of the Latter day Saints' en die tempel er slechts een van de vele is. Want naast de tempel staat nog een tempel en verderop staat nog een tempel en zo verder. Ze zijn gek op bouwen, mormonen. En op grote, hoge, witte gebouwen dus, met van die puntige sprookjestorens erbovenop.

Flashback naar juli 1847: de mormonen kwamen hier de vallei binnen, op zoek naar een plek waar ze hun geloof konden belijden zonder vervolging, op zoek naar een plek om witte suikergoedtempels te bouwen, op zoek naar een plek waar het ene schaatswereldrecord na het andere zou kunnen gaan sneuvelen. Sorry, het lukt me niet helemaal serieus te blijven. Dat komt, ik heb net een halve dag in SL doorgebracht – zoals SLC hier wordt afgekort – ik heb de tempels gezien en het gebouw waar de registers worden bijgewerkt (het is niet zo dat zoveel mogelijk stervelingen, dood of levend, in het register worden opgenomen, zodat ze *saved* zullen worden, als het moment daar is dat de bokken van de geiten gescheiden worden; wel is het zo dat je moet zorgen in het register te staan zodat je ook na de dood nog contact met ouders en verdere familie kan blijven onderhouden... ik weet het niet), ik heb de bussen vol toeristen gezien, ik heb plukjes passanten op straat gezien die uitstraalden dat zij in elk geval gered zijn of zullen worden, en hun dode opa nog geregeld spreken. En ze geloven dat Amerika het Beloofde Land is waar Jezus zal wederkeren. Ik weet het niet.

Natuurlijk, er zijn ook winkelcentra en er rijdt een tram en soms een taxi, maar er hangt een soort sluier van *righteousness* over de stad, alles is opgeschoond en aangeharkt en ingeperkt, alles is dicht op zondag (volstrekt uitzonderlijk in dit land waar alles altijd doorgaat, waar twentyfour-seven is uitgevonden) maar ook nu, maandagmiddag, zijn de brede straten en stoepen grotendeels verlaten. Het is prachtig weer, voor zover ik weet is het geen mormoonse rustdag en is er ook niet onlangs een aanslag gepleegd, maar het is stil, bijna eng stil op straat. In deze hele grote stad. Wordt er massaal geofferd, gebeden, gezongen, en waar dan? En voor wie? Kijkt de schaarse passant medelijdend naar ons, of zijn wij nog te redden? Zit ik er wellicht heel erg naast met mijn wat cynische kijk op religie? Zal ik mezelf alsnog in het grote register laten zetten? Baat het niet dan schaadt het niet?

Ik kijk in een etalage. Er hangt een T-shirt. Felgroen, grote zwarte letteropdruk. SL, UT. SALT LAKE, UTAH. Goddank, humor!

Smaak

Jaren geleden, ik spreek nu van de late jaren zeventig van de vorige eeuw, bezocht ik met vrienden wel eens een zogenaamde snackbar. Annex automatiek. Voor de zekerheid, het eerste is een van frituur doortrokken ruimte waar alles aan voedingsmiddelen ook door die frituur gehaald wordt, soms wat langer, soms nog wat bevroren van binnen; het laatste is een muur met deurtjes, waaruit je voor één gulden een bamibal, nasischijf of mihoenparallellepipedum kon trekken. Of iets anders, qua lauw zout en vettig. Twee herinneringen uit die tijd: ik schijn een keer zo goed als in elkaar gebeukt te zijn door twee (4) andere bezoekers, omdat ik mijns ondanks (wat betekent dat nou weer...?) wat 'bijdehante opmerkingen' had geplaatst, in mijn ogen best een beetje grappig, in hun ogen beledigend en daarmee reden voldoende mij een paar peuten op mijn voortanden te verstrekken. Ik begreep dat laatste pas toen mijn vrienden mij ietwat overhaast in de richting van mijn fiets duwden. Die stond buiten, dat kon in die jaren nog.

De andere herinnering is die aan wat ik at, als we de snackbar bezochten, namelijk helemaal niks. Nada. Geen bal, zie boven.

En dat had, toen al, te maken met een gevoel van willen weten wat ik eet (wat ik niet eet, ook), en het gevoel willen hebben dat wat ik eet iets toevoegt aan mijn lichaam, aan mijn gezondheid, mijn weerstand, mijn weet-ik-veel. Niet alles hoeft gezond te zijn, lekker mag zeker ook, maar ik ben er al járen zo een voor wie het eerlijk gezegd pas lekker is of blijkt als het gezond is. Echt waar.

En dat bepaalt voor mij al voldoende en volledig mijn positie tegenover McDonald's. Of Burger King of enig ander bedrijf van Amerikaanse komaf, met een geheel eigen idee van voeding. Simpel gezegd: ik hoef MD niet te boycotten als reactie op Bush, de oorlog of het Amerikaanse optreden wereldwijd in het algemeen (of het bijzonder), ik ga er gewoon niet naar binnen omdat ik gezond wil eten, in het algemeen en bijzonder, en omdat ik het gebodene eerlijk gezegd NIET TE HAGGELEN vind.

NIET TE VRETEN.

Waarbij ik het erg grappig vind dat de fastfood-schuivers sinds een paar jaar, en sinds toenemende kritiek op hun idee van (gezond) eten (lees: sterk teruglopende omzetten) opeens met low cal-dineetjes komen, en juice-ontbijtjes en salades en wellicht zelfs vegetarische burgers in diezelfde platsmakende *buns*. Ik vind het best, maar besluit er nog steeds niet naar binnen te gaan. Nogmaals, niet vanwege Amerikaanse achtergrond of gedachtegoed, maar vanwege de smaak, en mijn smaak dus ook. Ik ben helemaal niet zo van dat boycotterige. Oké, ik weiger al jaren de free record shop of enig andere keten te betreden, omdat ik zo graag echte cd-shopjes in leven hou, waar mensen staan die van popmuziek houden en geen veredelde caissières met een piercing voor de zekerheid, en bij boekwinkels net zo, maar om nou Amerika te gaan boycotten. Qua winkels, qua producten, dat lijkt me zo'n beetje onhaalbaar. Plus ik hoop dat iedereen zo nu en dan op een andere manier zijn mening kan laten horen, zijn woede kan uiten, zijn ideeën kan spuien. En dat laatste is ook al weer zo lastig met een bek vol burger.

Yellowstone

Als wij gaan zitten zijn de bankjes nog grotendeels leeg, als we een uur later gepicknickt hebben, onze tan bijgewerkt en (ik) 25 pagina's verder ben in mijn boek zit er zo'n zevenhonderd mens. Te wachten. Op Old Faithfull. En dat is, dat begrijp je, een geiser. Een gat in de grond waar zo nu en dan kokend water en stoom uitspuit. Minutenlang, per uitbarsting, al miljoenen jaren lang. Waarbij me duidelijk lijkt dat die bankjes er pas staan sinds dit gebied een National Park is. Met zo'n zes miljoen bezoekers per jaar. Vandaar die bankjes en die restaurants op loopafstand en die *general store* en dat *visitor's center* en die batterij aan wc's. *Restrooms.* Plees. *Little girls' rooms.* Schijthuizen. Pisbakken. *Powderrooms.* Urinalen. Sorry, daar had ik gewoon even zin in, al wachtend op O.F., die zo genoemd wordt omdat-ie al zo lang spuit en zo regelmatig. Elke anderhalf uur, *give or take*, en meestal minutenlang. Dus.

Dus zitten wij hier omringd door al die felgeklede Amerikanen die zich uit hun immense auto's hebben gepulkt en vooralsnog maar geen idee lijken te hebben dat hoe meer benzine ze verslurpen hoe lastiger het wordt het terrorisme te verslaan, en hoe meer ze in zulke auto's blijven rijden hoe meer ze het klimaat blijven beïnvloeden hoe meer ze met stormen, orkanen en overstromingen te maken zullen krijgen. (New Orleans wordt nooit meer wat het was, langs de hele Oostkust zijn de huizen bijkans niet meer te verzekeren tegen orkanen en aanverwante.) Dat soort gedachten heb ik, terwijl ik zit te wachten. Op die ouwe betrouwbare spuiter. Het schijnt dat sommige vrienden René Froger wel eens Old Faithfull noemen, maar dat is dan een grap, plus René spreekt nauwelijks Engels. Althans, als ik zijn liedjes zo hoor.

Sjeezus, wat duurt dat nog lang. Wachten. Op een gat in de grond. Bij een gat in de grond. Prachtig park trouwens, Yellowstone, met duizenden buffels die loslopen en daar misbruik van maken door steeds *en masse* voor je auto te gaan lopen en midden op de weg te poepen. En verharen ook. Verder heel veel heuvels en dalen en geisers en zwaveldampen en vogels en herten en elanden en bomen en wildernis. Prachtig. SPUITEN KRENG! Verdomd, die gedachte helpt, het gat begint te bubbelen en er floept wat (heet) water uit en de zevenhonderd beginnen al te ooh-en en awesome-n... Daar komt-ie! Zo'n anderhalve minuut lang spuit er wit water en dito stoom omhoog, best hoog, maar geen moment dat ik enig *oh my god*-gevoel kreeg. Je wacht er te lang op, even spuiten en voorbij. En als je nu aan je seksleven denkt, kan dat niet aan mij liggen. Echt niet.

Lekker luggie!

Reizen zoals ik de afgelopen tijd reis betekent eigenlijk niet meer dan het bereiken van je eindbestemming zo lang mogelijk uitstellen. Waarbij mijn eindbestemming uiteindelijk 'thuis' is, de plek waar ik maanden geleden geheel vrijwillig ben vertrokken. En dan 'geheel vrijwillig' zoals zich dat in een langlopende relatie kan uitkristalliseren. Een langlopende relatie met kinderen. Ook al geheel vrijwillig. Inderdaad, lieve lezer, ik heb een prachtig leven!

En nou heb ik uitgevonden, onder meer, dat reizen een geur heeft. De reisgeuren van vroeger herinner ik me nog wel, vaag. Zweetsokken, transpiratiegeur anderszins van de personen waarmee je langdurig de achterbank van de auto of de coupé van een trein diende te delen, een rugzak vol intensief gedragen kleding aan het einde van vier weken backpacken, etensgeuren die echt niet overeenkwamen met de lucht die je moeder jarenlang in de keuken thuis verspreidde, alles op reis had een lucht en lang niet alles had een prettige lucht. Geur. Walm. Stank. Odeur... sorry, ik over-synonimiseer.

U begrijpt dus mijn blijdschap toen ik las dat een aantal Amerikaanse hotelketens heeft begrepen dat reizen een geur heeft en dat dat net zo goed een prettige geur zou kunnen zijn. Sterker nog, dat een prettige geur er wellicht voor kan zorgen dat de vermoeide reiziger juist in jouw frisgeurende lobby zijn creditcard op de balie plaatst. En daar gaat het natuurlijk om, want er zijn niet alleen vele wegen die naar Rome (Idaho) leiden, er zijn ook vele vele hotellobby's waar de reiziger uit kan kiezen. Vandaar: geur.

Als u gaat voor citroengras en groene thee is Omni de keten voor u, waarbij ik wel moet vermelden dat diezelfde hotelbeuker in zijn coffeeshops een lichte chocoladewalm laat rondgaan, om '*a sense of place*' te creëren. A sense of place, het gevoel dat je op een plek bent, op je plek zelfs. Hormonaal gezien zijn het geloof ik vooral vrouwen die chocola ruiken en dan denken 'dit is mijn plek!', maar goed, als dat betekent dat heel veel vrouwen die coffeeshop opzoeken kan dat voor een man als ik weer reden zijn ook daar te gaan zitten. *I just love the smell of women searching for chocolate!* Dat mag u best weten.

Maar elk hotel heeft, of krijgt, zijn geurtjes: witte thee (?) plus geranium plus fresia (Westin), vijg plus bergamot plus jasmijn plus fresia weer (Sheraton), appel plus kaneel (Four Points). Waarbij het idee van dat laatste luggie is dat appel plus kaneel doet denken aan appeltaart en dat doet weer denken aan thuis, of, in marketing-Lingo, a down-to-earth attitude. En als u vermoedt dat uw piloot zo'n attitude heeft is het slim een andere vlucht te boeken.

Hotels hebben een geur die bij hun sfeer past, grote bedrijven hebben een *corporate smell* (eikenhout staat voor betrouwbaar), zelfs tijdens theatervoorstellingen (zoals Cirque du Soleil) wordt een geurtje rondgespoten, in casu sensueel, exotisch en silky. Aaaaaaaaaaaaaah!

What you see is what you get, maar wat je ruikt is allang niet meer wat je eigenlijk ruikt. Vroeger was er maar één luchtje van belang: als je je huis wilde verkopen moest je ervoor zorgen dat het naar versgebakken brood rook. Dus ofwel je sloeg aan het bakken, kort voordat de eventuele kopers arriveerden, ofwel je schafte een spuitbus of geurtablet aan met de geur van versgebakken brood. Koekjes mocht ook. Werkte als een trein, je verkocht niet alleen je huis, maar kreeg vaak ook nog meer dan de vraagprijs! Tegenwoordig, dat blijkt toch wel uit het bovenstaande, ruikt alles. Geurt alles. Als het maar verkoopt.

Hup Joop!

We zijn er (bijna) klaar voor. Het wk voetbal. Ook hier in de vs zijn we er bijna klaar voor. Echt hoor, geen grapjes meer over Amerikanen die alleen maar kunnen footballen met een helm op en iets van schoudervullingen in, *Team USA is gonna kick some ass*. En als het meezit hier en daar nog een bal ook. Ik zeg Kasey Keller, ik zeg Beasly en Donovan en O'Brien en de levensgevaarlijke Johnson in de spits. Ik zeg maar wat. Dat komt, ik ben niet zo'n kenner. Mij serieus over voetbal laten praten is toch een beetje alsof je met Gordon over het non-proliferatieverdrag discussieert, alsof verder echt iedereen al aan het woord is geweest. Over echt alles.

Ik ben meer van de randverschijnselen, geloof ik. Amerika heeft afgelopen weken de handen en hoofden meer dan vol gehad aan *American Idol* en de baby van Angelina en Bradd en het mogelijk opgraven van maffiabaas Jimmy Hoffa *(swimming with the fishes*, dat was nog eens een tijd) en het door Cobalco zo genereus ondersteunde homerunrecord van Barry Bonds.

Maar goed, in opdracht van *de Volkskrant* ben ik echt niet te beroerd dat Team USA van dichtbij te bekijken. Vorige week, laatste oefenwedstrijd voor Duitsland. Letland-thuis, altijd lastig. Live op tv, wat niet zo verbazend is, want iedereen hier met een beetje schotel of kabel (ofwel iedereen hier) pakt tussen de 100 en 380 kanalen. Dus dan moet er ergens tussen een tv-kanaal geheel gewijd aan *knifes*, 26 shopkanalen, het Amerikaans kampioenschap paintballen en FoxNews *(fair and balanced*, ja, en ik ben Jennifer Lopez) toch ruimte zijn voor voetbal. Zeker nu Team USA het zo goed doet. Ik bedoel, als oorlog voetbal was zouden ze allang terug zijn uit Irak en zouden een paar duizend jonge Amerikanen en vele duizenden Irakezen wellicht nog in leven zijn. Maar goed, oefenwedstrijd, Letland, 1-0 voor de vs, volle tribune, speciaal Nike-shirtje voor de thuisblijvers, na zestig minuten voetballen wordt de kijker onder in beeld toch nog maar even verteld dat de witten de Letten zijn en de roden de vs (inderdaad, Kazalinkavutzjkis speelt niet voor de vs) en, verreweg het opvallendst, er zijn geen commercials. Uitroepteken. Alles en iedereen op de Amerikaanse tv wordt onderbroken voor en door commercials, de Winterspelen was negentig seconden Marianne Timmer tegen vier minuten grote auto's en broodjes vleesafval, maar hier kreeg ik 2 x 45 minuten sport zonder iets van reclame. Prachtig! Plus ik denk dat de vs wereldkampioen wordt. Want hun coach heet Bruce Arena en dat is vrij vertaald Joop Stadion. Met zo'n naam kun je niet verliezen.

Sabbatical

'Hé, jij bent toch met sabbatical?' vraagt de leuke blonde vara-collega me als ik vrijdagmiddag door het grote Nederland 3-pand schuifel. Op zoek naar een afdeling die zich op de tweede verdieping zou moeten bevinden. Een afdeling die ik daar niet vind. Waarna ik op de vierde terechtkom. Deze vrolijke jongedame tref. Die me meeneemt naar de tweede. Waar de afdeling en degene die ik wil spreken zich dan wel bevindt.

Sabbatical? denk ik. Zou je voor het gebruik van dat woord toestemming moeten hebben van Ronny Naftaniel van het cidi? Plus, is het een sabbatical als je 'een tijdje ergens anders verblijft'? Want dat is toch wat ik doe. Ergens anders verblijven – Curaçao, Californië, Colorado, Canada – en ondertussen gewoon doorwerken. Doorschrijven, vooral. Heerlijk, om dat te kunnen doen. Heerlijk, om als je de woorden en zinnen even niet kan vinden uit te kunnen kijken over een vallei in de Rockies op bijna 3 kilometer hoogte, over Okanagan Lake, over... Heerlijk, om zoveel tijd met mijn goedgelukte gezin door te kunnen brengen en ondertussen te kunnen maken wat ik wil maken. Een boek over hardlopen. Een verzameling columns en andere observaties van Amerika anno 2006. Een stapel liedjes en gedichten.

Maar goed, al die prachtplekken, schrijven, *hangin' out with the kids*, wat moet ik dan in Hilversum? Wat moet men überhaupt in Hilversum? Lastige vraag. Maar het was Pinksteren en dat betekent voor mij al een jaar of zes een klim naar de top van de lichttoren bij Podium Noord en een lange tv-uitzending met heel veel bandjes en heel veel liedjes en heel veel flessen water. En om dat nou allemaal niet te missen reisde ik van Bozeman (het Hilversum van Montana) naar Schiphol, naar het Mediapark ('Leuk is Anders' weer eens vanuit de 3FM-studio in plaats vanuit een nachtelijke woonkamer ergens in de VS) naar Landgraaf. Waar overigens dit jaar een aftandse (maar opgepimpte) Bassie & Adriaan-caravan voor me klaarstond. In plaats van die plek op de toren. En Giel, die stond er ook, in een paarsig ensemble ditmaal. En Martin, vriend en vaste begeleider bij alles-des-rock-'n-rolls. En al die aardige mensen met wie ik mag werken, om Pinkpop vijf uur lang op uw plasmascherm te krijgen. En David Gray en Placebo en Racoon en the Editors en... en Jan Smeets, natuurlijk, glimmend en glanzend en terecht ontroerd over zijn prachtige festival. Kijk, als dat werken is – en dat is het – heb ik niet echt een sabbatical nodig.

Daly

Golf is een nette sport, een sport die vooral wordt bedreven door mannen die al puttend zakelijke besprekingen afronden, verdere afspraken maken, wat beleggingstips uitwisselen, wat voorkennis wellicht. Oké, golf lijkt een nette sport.

Topgolf wordt bedreven door frisgewassen en -gestreken mannen en vrouwen, broeken in de plooi, lichtgele spencer, vers petje met de sponsornaam, dito caddy ernaast met een schoudertas ter grootte van een tweekamerwoning en tee-en maar! Of driven, dat mag ook.

Ik vind het verheugend dat zelfs het (Amerikaanse) topgolf een enfant terrible kent, een man die rookt en zuipt en gokt en schreeuwt, vooral tegen zichzelf. John Daly. Veertig jaar jong, stevig gebouwd, wilde blonde haardos, Marlboro light tussen de vingers en tee-en maar. Of driven. En dan zo snel mogelijk na de achttiende hole door naar *the clubhouse* voor een stevige borrel. En nog een. Door naar een volgend café of nog beter het casino. Drankje, sigaartje, beetje gokken, morgen gezond weer op voor de volgende 18 holes. In het boek dat Daly onlangs uitbracht, *My life in and out of the rough* (voor niet-golfers: the rough is de plek waar je al golfend vooral niet terecht moet komen), beschrijft hij in vele geuren en kleuren zijn leven, vertelt hij dat hij al gokkend gedurende zijn carrière zo'n 55 miljoen dollar verloren denkt te hebben – beduidend meer dan hij verdiend heeft, maar dat kan natuurlijk als je zo nu en dan wint en die winst direct aansluitend weer vergokt; anderzijds is het natuurlijk bekend dat je al gokkend uiteindelijk altijd verliest, behalve als je directeur bent van het casino – en hij onthult dat hij het nog zo'n twee jaar denkt te gaan volhouden. Golfen. Leven ook.

Dat zou natuurlijk uiterst triest zijn maar het is ook een klein beetje te verwachten bij een man met een levensstijl als hij had en heeft, een man die zegt: 'Ik ga nooit naar een gym of healthclub want daar laten ze je niet roken.' Het drinken leerde hij al op jonge leeftijd van zijn vader, die er anderzijds voor zorgde dat hij ook op zeer jonge leeftijd op echte golfbanen kon spelen. Papa deed alles voor John want hij wilde niets liever dan een *professional athlete* als zoon. Het werd een luidruchtige golfer met overgewicht, ja, maar ook een die al voor zijn dertigste twee majors wist te winnen. Beetje jammer dat papa D. een paar jaar geleden op het punt stond zijn zoon neer te schieten, wegens ruzie en langdurige dronkenschap. Kleurrijk, dat is het woord. Maar dan een kleur die ik persoonlijk nog nooit in een golfoutfit gezien heb.

En het geheim van goed golfen, volgens Daly? Goede seks. Andersom werkt dat trouwens niet zo, weet ik sinds ik gisteren weer eens een rondje van 164 slagen aflegde.

Vader

Het was bijna te veel voor mijn tere gestel, de spanning. De af-gelopen dagen, vrijdag en zaterdag vooral. Maar eigenlijk de hele vorige week al. Aftellen, dat is het. Was het. Aftellen naar vaderdag, toch de dag dat vriendin en kinderen kunnen laten merken hoe lief je eigenlijk bent. En dat doen door je cadeaus te geven, die in de weken voorafgaand door vele behulpzame middenstanders in vele glimmende gekleurde folders zijn ge-zet. Nou lees ik nooit folders en kom ik ook nog eens zo min mogelijk op plekken waar middenstanders zich bevinden (winkels, inderdaad, die zich hier vooral verzamelen in malls), maar kreeg ik toch, ongevraagd, een voorproefje over me heen van het soort producten dat kind en vrouw hier voor daddy aan dienen te schaffen. Een pagina in de krant – een serieuze, goede krant – onder de kop 'Hail to the chief'. Kijk, daar kan ik wat mee, stukje respect. In de subkop werd papa nog 'Great One', 'Master of the Grill' en 'Heavenly Handyman' genoemd. Wellicht had ik toen al moeten begrijpen dat deze pagina niet echt over mij ging. 'Supreme Commander in all Matters Per-taining to the Car' ... nee. Papa Dolf heeft niet eens een rijbe-wijs. Maar goed, ik was al aan het lezen en dan stop ik niet zo-maar. Plus, die spanning hè.

Tien minuten later zat ik me af te vragen wat voor vader ik eigenlijk ben. Of wil zijn, dat kan ook. Ik bedoel, wat moet ik met een draadloze onwaarschijnlijk krachtige inklapbare gras-maaier, oplaadbaar (lijkt me wel handig, wegens draadloos)? Waarom zou ik rond willen lopen met een tas in camouflage-kleuren, met van die legervlekken? a) ten eerste ben ik de dienstplicht niet eens binnengekomen en b) ten slotte ken ik helemaal geen gebieden waar het overwegend legergroen is met gele en zwarte en beige vlekken. En als ik ze zou kennen zou ik er niet naartoe willen. En als ik er toch naartoe zou moeten zou ik er echt niet met een tas doorheen gaan lopen zeulen. En *while we're at it* hoef ik dus ook geen poepkleurige tuinbroek aan met hamerhouder. Wil ik zeker geen zwaarver-zilverde golfclub (Tiffany!) laat staan een waterdichte digitale camera waar de foto direct geprint uitrolt. Mijn foto's zijn meer voor het bakje instant-delete, zeker die onder water. En een barbecueset, -boek, -schort of -sausbakje... Neehee! Ik ben gewoon blij dat we vaderdag hebben overgeslagen.

Maar nou ben ik komende zondag jarig...

Oorlogsdaden

In 2004 was het het Internationale Rode Kruis. In 2005 Amnesty International. Eerder dit jaar de VN Commissie voor Mensenrechten. En een paar weken geleden de VN Commissie tegen Marteling. Allemaal met dezelfde boodschap: Guantanamo Bay = marteling. Omdat daar mensen zonder enige vorm van proces of aanklacht worden vastgehouden. Omdat er geen enkele duidelijkheid is of komt over de duur van die periode. Omdat mensen worden ondervraagd op manieren die overeenkomen met marteling (mooi hè, juridische taal). Omdat mensen worden overgeleverd aan andere landen, waar gemarteld wordt. En, niet te vergeten, omdat er heel duidelijke aanwijzingen zijn dat een groot deel van de mensen die daar op dat stukje VS-te-Cuba vastzit evenveel met terrorisme van doen heeft als ik met vioolspelen in het Concertgebouworkest. Er zijn meer dan vier jaar geleden willekeurig mensen opgepakt, er zijn mensen door krijgsheren en ander tuig letterlijk verkocht aan de Amerikanen, er zijn mensen die toevallig dezelfde naam hebben als iemand die wellicht wel violist is, sorry, terrorist.

Oké, oké, dit weet u allemaal, of wilt u helemaal niet weten, dat kan ook. En de VS kunnen, voorlopig, doen en laten wat ze willen, kunnen als dat zo uitkomt zelfs liegen tegen hun *allies*, kunnen elke keer weer nieuwe hoogtes van zelfingenomenheid en *self-righteousness* bereiken, maar toch, maar toch...

De gevangenen van Guantanamo hebben geen enkele mogelijkheid te laten weten wie ze zijn, geen enkele mogelijkheid te bewijzen dat ze niet zijn wie (of wat) ze niet zijn, geen contact met de buitenwereld, geen contact met familie, niks niks niks. Alleen wanhoop en hitte en slecht voedsel en gelig water en heel veel vragen waar ze geen antwoord op hebben. Laatste middel: hongerstaking. Antwoord van de Amerikanen: gedwongen voeding, slang door de keel en doorleven! Allerlaatste middel: zelfmoord. Lukt niet altijd, meteen, maar als je blijft proberen vaak wel.

Onlangs is het drie gevangenen gelukt. Een van hen, Yasser al-Zahrani, was 21. Hij was dus 17 toen hij werd opgepakt – of verkocht – en naar Guantanamo werd verscheept. Tuurlijk, er zijn mensen van 17 die heel erge dingen willen doen, maar er zijn ook heel veel mensen van 17 die een beetje naar school gaan en een beetje voetballen en stiekem blowen en nog graag bij hun moeder wegkruipen. En nu, vier martelende jaren later, is hij dood. Wie was hij, wat deed hij, wat wilde hij...?

En wat is de reactie van de bevelhebber aldaar, een reactie die me ondanks alles zo kwaad, zo vreselijk kwaad maakt: deze zelfmoorden zijn een act of war tegen Amerika, tegen de normen en waarden die wij hooghouden. De waarden die zij willen vernietigen.

En Colleen Graffy noemde, namens de Amerikaanse regering, de drie zelfmoorden: '*A good pr move to draw attention*'. Waarna een lange, ingewikkelde zin volgde die duidelijk moest maken dat 'dit soort mensen' geen respect had voor het eigen leven, al helemaal niet voor Amerikaanse levens en daarom ook zelfmoordaanslagen uitvoerde om de heilige oorlog te winnen. Alsof mevrouw Graffy tussen de strijkers van het Concertgebouworkest gaat staan, naakt, felrood geverfd, twaalf keiharde ruften uit haar aars blaast en dan om zich heenkijkt met zo'n blik van: mooi... toch?

Het is zo dieptriest, het maakt de kans op een oplossing zo klein, het zaait zoveel haat en wanhoop, het maakt het zo godvergeten onmogelijk dat de war on terror gewonnen gaat worden... mensen in volstrekte wanhoop verkiezen de dood en worden afgedaan als pr-stunt. Door andere mensen met aantoonbaar bloed aan hun handen.

Of, zoals de redactie van *The Salt Lake Tribune* terecht concludeerde: uiteindelijk gaat het erom wat de Amerikaanse waarden zijn, wat die waarden nog zijn. (Zijn dat nog de waarden van vrijheid en democratie en gerechtigheid, of hebben machtsmisbruik en marteling en onrecht het overgenomen?)

Waarbij we vooral niet moeten vergeten dat het de Amerikaanse waarden zijn waarvoor de Amerikaanse troepen, in Irak, in Afghanistan, aan het vechten zijn. *Support the troops*, natuurlijk, maar wat supporten we eigenlijk? En waar gaan we uitkomen?

Heet

Ooit zei mijn moeder dat ik niet met vreemde mannen mee mocht gaan, waar mijn vader direct aan toevoegde dat ik vreemde vrouwen ook maar beter kon vermijden. Nu, zo'n vijfendertig jaar later, realiseer ik me dat het eerste me eigenlijk helemaal gelukt is – of vreemde mannen vinden mij niet echt een lekker kluifje, dat kan ook –, terwijl ik juist erg veel tijd heb doorgebracht met vreemde vrouwen. Waarbij ik ter verdediging moet aanvoeren dat je niet altijd meteen doorhebt dat 'ze' vreemd is, plus als je dat wel snel doorhebt is dat vaak ook haar aantrekkingskracht. Voor mij althans wel, edelachtbare. Maar genoeg over mijn vriendin... (Wij zijn samen op reis; de kans dat ze dit ooit gaat lezen is niet zo heel erg groot.)

Anyway, zoals ze hier zeggen, ik raakte aan de praat met een vrouw van wie ik dacht zeker te weten dat ze helemaal niet vreemd was, totdat ze me uitnodigde voor een potje Bikram Yoga. Oké, geen potje, dat woord kennen ze hier niet, voor een sessie, een stukje onderricht. Anderhalf uur in een ruimte waar het toch gauw een graadje of honderd is. Fahrenheit goddank, maar dat is nog steeds wat wij thuis 'heel erg warm' noemen. Dat is namelijk het idee van deze yogatak, oefeningen doen en houdingen aannemen in een heel erg warme ruimte. Waarbij ik moet vermelden dat de oefeningen die ze me even snel liet zien (en de houdingen ook) mij op de vraag brachten of er ook gipsvluchten bij inbegrepen waren. Of eerste hulp anderszins. Oké, ik ben niet echt lenig, ik ben hardloper, plus het zal zeker zo zijn dat het soort warmte waarin je verkeert het lichaam vele malen soepeler maakt dan ik (gewend) ben, maar dan nog. Zesentwintig verschillende houdingen in een soort serie achter elkaar, in die hitte dus, plus heel veel zweten, en dan gelijk weer door met diezelfde zesentwintig houdingen. En zweten ook. Nou ben ik gek op de sauna, qua warmte, qua ontspanning, qua lekker in mijn blote kont rondlopen zonder dat daar direct aanstoot aan genomen wordt, maar daar doe ik nooit meer dan een beetje rekken en heel veel liggen. En water drinken en thee en sap en malt en zo. Niet echt zesentwintig houdingen in een serie achter elkaar waarvan er zeker twintig op papier al ingewikkeld lijken. En dan nog een keer, tot de klok anderhalf uur aanwijst. Anderzijds, yogi Bikram Choudhury, de bedenker van al dit moois, stelt op zijn site de terechte vraag: 'Lijd je liever negentig jaar dan negentig minuten?' *Ouch*, zoals ze hier zeggen.

Ik denk dus dat ik maar met de vrouw meega, morgen. Al was het maar omdat je hier alleen kinderlokkers op internet kunt vinden en er geen simpel opvraagbare informatie bestaat over *strange women*. Dus laat ik het er maar weer op wagen. Wellicht word ik er lenig, sterk en heel gelukkig van.

Past niet...

Toch weer schokkend nieuws uit de vs, deze week: dat 64 procent van de Amerikaanse bevolking te dik is – *overweight*, of *extremely overweight, obese, passed obese, way passed obese* of zelfs *ready to explode* – was wel zo'n beetje bekend. Hoewel Floyd Landis dat ontkent. Maar goed, te dik, dik, dikkig, enorm uitgedijd... Ik zeg altijd zolang je ondertussen de strijd tegen het terrorisme wint, is het niet zo heel erg dat je wat aan de mollige kant bent. Sterker nog, als ze nu nog even Hezbollah oprollen of platbombarderen zijn alle terroristen verslagen en dat lijkt me toch wel reden voor een feestje, met heel veel vettige worstjes en dood beest anderszins plus kingsize marshmellows na. Mmmmmmm!

Maar, en daarom ben ik aan dit wat onsmakelijke verhaal begonnen, er is nieuws van het *fat*front. Artsen en chirurgen namelijk slaan alarm: ze komen steeds vaker tegenover patiënten te staan die te dik zijn om in het scan-, echo- of MRI-apparaat te passen. Ze passen er niet in. Uitroepteken. Ze zijn te dik om gescand te worden, ze hebben een te grote omvang voor een MRI, de echo wordt wegens omvang en gewicht nooit meer teruggehoord. En, als het drie verplegers, twee doktoren en een passerende gewichtheffer wel lukt om de patiënt van 137 kilo met behulp van een buitenmodel schoenlepel en een shockstok dan toch in of onder het röntgenapparaat te krijgen, komen de stralen niet door de vetlagen heen. Röntgen, de briljante uitvinding van meneer Röntgen, die het doktoren mogelijk maakt in ons lichaam te kijken zoals je vrouw in je ziel kijkt, en je vertelt wat je eigenlijk denkt, röntgen verliest het gewoon van de vetkwabben. De foto's die uit het apparaat rollen – waar de patiënt dan vaak nog in zit want krijg 142 kilo *dead weight* maar eens uit zo'n metalen koker gerold – zijn een *blur*, grijstinten, vetlagen, geen orgaan te zien, laat staan de eventuele kwaal. Daar sta je dan, dik 150 kilo in een onderbroek ter grootte van een parachute, tegenover de dokter die je helemaal niks kan vertellen – behalve dat je er echt niet uitziet, maar dat zegt de dokter niet, want de dokter moet zijn nota nog versturen –, hij weet niks want hij zag niks. Behalve vage vette grijstinten.

Vice-president Dick Cheney zei niet zo lang geleden: 'Over de Amerikaanse manier van leven is niet te onderhandelen'. Ofwel, wij eten door, wij verbruiken door, we barbecuen ons tot ver voorbij de indigestie, er is bijna geen olie meer maar vooralsnog ratelen de airco's door, wij leven zoals we leven. Punt. Ofwel, tot de dood erop volgt. Ook dit wordt trouwens door Floyd Landis ontkend. Hij eet zelfs nooit, zegt hij. Hij heeft geen tijd om te eten, hij is namelijk altijd aan het trainen. Hij moet wel, omdat-ie geen doping gebruikt.

Maar goed, het is misschien wat hard om de schuld voor de weigerende apparaten bij die patiënt van 168 kilo te leggen. Ik bedoel, ik kan me wel iets voorstellen bij het gevoel dat je moet hebben als een lichaamsdeel niet in het onderzoeksapparaat past. Een paar weken geleden maakte ik zelf zoiets mee, er moest een scan gemaakt worden van mijn geslachtsdeel en wat denk je...

Noot van de auteur: Natuurlijk, natuurlijk... vreselijke grap, maar op de radio en dan goed getimed de volgende plaat door die laatste zin heen knallen, geloof me, het werkt!

Baan

Als ik op de plattegrond van een stad die ik niet ken een rivier of een meer zie, begeef ik me meestal in die richting. Hopend op een mooi pad (*trail* zeggen ze hier), hopend op wat bomen en weinig verkeer en wellicht een paar vrolijke eenden. Hopend op een lekkere training langs het water, eigenlijk. Er zal vast niet meer zuurstof zijn, op zo'n plek (net zomin als er meer zuurstof blijkt te zijn na een fikse regenbui), maar het voelt vaak wel zo. En van water word ik rustig, vaak. Golfjes, geklots, ik weet niet wat het is, maar het geeft rust. Witte schuimkopjes, ook mooi, zeker als je zelf al over de helft van je training bent en dus de wind die die schuimkopjes veroorzaakt lekker in de rug hebt.

Vorige week, in Kelowna (BC, en dat heeft niks met de Messias te maken maar staat voor British Columbia, Canada dus) hoefde ik maar de *main street* uit te lopen om de boorden, de oever van Okanagan Lake te bereiken. Waar de plattegrond me ook nog een park beloofde. Dat moest goed gaan, lekker duurloopje langs het water, kon ik me daarna weer bij mijn gezin voegen, dat mijn trainingstijd mooi kon gebruiken om een onwaarschijnlijke hoeveelheid verjaarscadeaus voor papa te gaan kopen. Je blijft altijd hopen...

Het water was snel gevonden – een prachtig meer, wat heuvels rondom, verderop een hele batterij wijngaarden –, het park ook wel, maar om nou te zeggen dat ik direct dolblij werd van de trails die daar liepen... nee. Er waren een paar asfalt-wandelpaden, wat mooie lange stroken gras, meer eigenlijk niet. En dat terwijl ik net zo lekker liep, zo graag een kilometer of 10, 12, 14 wilde lopen. Niet te hard, niet te langzaam, u kent mijn tempo. En u weet inmiddels waarschijnlijk ook wel dat ik daarvoor momenteel echt onverharde wegen en paden nodig heb.

Ik naderde het eind van het park – het meer ging verder, maar verderop was eerst nog een villawoonwijk die doorkruist moest worden en daar had ik geen zin in – en toen zag ik die baan. De baan, die ik een paar uur eerder ook had gezien vanuit de auto, zag er toen eerlijk gezegd wat vervallen en verlaten uit. En nu eigenlijk weer, maar toch... even proberen. Wat bleek dat lekker te lopen, grint, hier en daar wat andere stenen, er groeide gras en onkruid, de ondergrond was stevig zand, nergens echte kuilen, 400 meter ook nog, heerlijk! Vaalblauw tribunetje ernaast en 200 meter verderop dat grote meer. Waar ik dus toch langsliep, elk rondje weer. Ontspannen, soepel zelfs.

Wat een baan: zag er echt niet uit, maar liep fantastisch. Net als ik dus eigenlijk.

Headless leader

I bit off smiling Buddha's head
dark chocolate Belgian style
it took me just a little while
three chews and that was that

Buddha is a real nice guy
looks fat and somewhat gay
he is for peace and so am I
but I ate him anyway

so much for smiling Buddha's head
his soul became my food
the Buddhists look a little sad
a headless leader's just no good

'though where I am today
that reason does not rhyme
they choose one like that every time
God bless the USA!

De aarde stil

(Chasing cars / Snow Patrol)

wie we zijn
jij en ik
twee is één
waar we zijn
niemand hier
om ons heen

als ik hier lig
als ik blijf liggen
kom je dan naast me
en zet de aarde stil

ik weet niet goed
hoe ik zeg
wat ik voel
ik ook van jou
zo vaak gebruikt
is niet genoeg

als ik hier lig
als ik blijf liggen
kom je dan naast me
en zet de aarde stil
geen regel of wet
die ons kan stoppen

alles ontploft in groen
zoals de lente wil

blaas ze weg
de wolken rook
om ons hoofd

je kijkt naar mij
ziet mijn ja
zonder woord

als ik hier lig
als ik blijf liggen
kom je dan naast me
en zet de aarde stil
geen regel of wet
die ons kan stoppen
alles ontploft in groen
zoals de lente wil

wie ik nu ben
wie ik kan worden
weerspiegelt in jouw blik
je ogen perfect
vraag me niet hoe
vraag me niet waarnaartoe
ik weet alleen zeker
dat dit voor altijd is

als ik hier lig
als ik blijf liggen
kom je dan naast me
en zet de aarde stil

Still

am I still sad she asked
with a voice that said I don't know where I'm going
I stepped over the hurt
said sad is just a word
it's a waterfall of tears that won't stop flowing

am I still drunk she said
with a grin that spelt I don't know what I'm saying
I packed her of the floor
and said you're drunk no more
its just the ground beneath your feet that won't stop swaying

am I still in love she asked
she touched me I felt ripples of desire
I said it's not for me
to tell you love is free
but it makes one wonder who's the keeper of your fire

am I still here she asked
with eyes that had a million miles of distance
with an 'all is said and done
you and me are one'
I watched the crumbling down of her resistance

Mudslide

Loudon Wainwright zong ooit 'In California the bodycounts keep getting higher/ it's evil out there, man, that state is always on fire', en als het geen bosbranden zijn dan weet de natuur deze staat wel op een andere manier aan haar kwetsbaarheid te herinneren. Erosie, die beetje bij beetje de hele kust in de Pacific laat verdwijnen, droogte omdat er te veel plekken zijn waar het echt 'nooit' regent, en absoluut noodweer, met allerlei modderstromen en verschoven stukken berg van dien. Zoals gisteren. Het regende zoals het ooit in Noachs tijd geregend moet hebben, en als we nog ruimte hadden gehad in de camper, hadden we zeker hier en daar wat beestenpaartjes verzameld, voor na deze zondvloed. Wij staken de bergen over die bijna tegen de kust aan liggen, in de richting van die kust, omdat we noordwaarts de 1 zouden nemen, richting Big Sur, Monterey en SF. De weg klom en klom en begon daarna pas echt te klimmen. We reden in een wolk van regen en we wisten dat we nog helemaal naar beneden moesten ook. We wisten dat we de Pacific naderden, maar merkten daar helemaal niks van. We zagen alleen regen, 10 meter weg voor ons, en iets van ravijn links of rechts. Halverwege de afdaling kwam ons ineens een stroom auto's tegemoet, een vrouw liet zich doornatregenen om ons te komen vertellen dat er een mudslide was, verderop, en dat the road totally out was, de eerstkomende vierentwintig uur. Auw! Ik wilde echt niet terug diezelfde pas over, maar de 1 bleek nog wel bereikbaar, alleen naar het noorden gaan was vooralsnog onmogelijk. Waardoor we strandden langs een stuk weg zonder verkeer, een stuk niemandsland: uit het noorden kon niks meer komen, uit het zuiden zou niemand meer komen, en de weg door de bergen was zo langzamerhand ook niet meer te doen. Want het bleef hozen. En de modder bleef stromen. De volgende doorgaande weg landinwaarts was zeker 60 kilometer naar het zuiden, dus zaten we klem, op een prachtige manier: voor ons een lege weg, achter ons een lege weg, rechts van ons dat berggebied en links de Pacific.

En vanochtend werden we wakker en was het stralend weer. Strakblauwe lucht, zon en alles glom van het vocht. En er is hier bijna niemand. Langs deze normaal altijd drukke weg. Het is bizar, het is vervreemdend, het is prachtig. Het is bijna alsof 10 kilometer zuidelijk nog een mudslide heeft plaatsgegrepen, en we hier afgesloten zijn van alles en iedereen.

Op het kiezelstrand onder aan de rotsen treffen we een man, bebaard, niet helemaal van deze wereld, half in de golven, op zoek naar de groene jadesteentjes. Hij ziet eruit alsof hij hier altijd zit en echt geen modderstroom nodig heeft om van deze plek voor altijd zijn eigen plek te maken.

Twee werelden

De man die we een week of drie geleden ergens in Utah spraken zei: 'Okanagan Valley is de mooiste plek op aarde.' Nou weten we dankzij de filosofen van Arctic Monkeys dat hoge verwachtingen het recept zijn voor teleurstelling, maar soms zitten zelfs filosofen ernaast. En heeft zo'n man – voormalig truckdriver (toen de Trans-Canada Highway nog onverhard was) en smokkelaar (Canada had behoefte aan auto-onderdelen, de Amerikanen waren gek op Canadese whisky) – gewoon gelijk. Het is hier namelijk meer dan prachtig. Hier, in Okanagan Valley. Zo'n 400 kilometer landinwaarts vanuit Vancouver. En dan denk je Canada... dat zal wel winter tot eind mei betekenen, dan zes dagen exploderende lente, anderhalve maand zomer en dan weer acht (negen) maanden duisternis en kou, gevuld met loslopende beren, verdwaalde eskimo's en een onwaarschijnlijk hoog zelfmoordpercentage. Nou, niet dus. Het is hier vreselijk mooi, het is hier zomer, het is hier meren en heuvels en tientallen wijngaarden, het is alsof je in Toscane zit maar dan zonder Berlusconi, het is hier groen en relaxed en vredig. Tuurlijk, de mooiste plek op aarde bestaat niet, maar het is hier wel fuckin' beautiful.

Ik kwam hier letterlijk midden in de nacht aan, een week geleden, na een zesdaagse tocht die me van Bozeman (Montana) naar Schiphol naar Hilversum naar Landgraaf naar Schiphol naar Vancouver naar Penticton had geleid. Inclusief vertraging, een overboekt vliegtuig en twee vriendelijke meneren van Air Canada die me met een andere vlucht mee lieten gaan (zonder ticket dienaangaande), een vlucht die veel dichter bij mijn gezin bleek uit te komen dan de oorspronkelijke. Maar wel pas om elf uur 's avonds. En toen was ik dus zo'n drieëntwintig uur op, wakker dus, na drie dagen Pinkpop waar slapen ook al niet de eerste prioriteit is. Een taxichauffeur die hier echt wel vaker kwam, had geen idee waar het opgegeven adres zich zou kunnen bevinden, de routebeschrijving bevatte een foutje, het was pikkedonker... avontuur, mensen! Mijn hoofd tolde nog een beetje van een avond live-tv maken (en Giel buiten beeld zien te houden), van Flea en Frusciante, van ontmoetingen met David Gray en the Editors, van een club fijne (lieve, vriendelijke, hardwerkende, opwindende) mensen om me heen, van twee keer de halve wereld over reizen. Ik was er bijna, maar had geen idee waar. Ik was op een van de mooiste plekken waar ik ooit geweest was, maar het was te donker om er iets van te zien. Ik was vlak bij mijn gezin, maar had geen idee waar ze zich precies bevonden. En toch vond ik ze.

De volgende ochtend zag ik waar ik was en viel mijn mond open en was ik thuis, duizenden kilometers van huis.

Houseboat

Als achter de wolken de zon schijnt moet je zorgen achter de wolken te komen.

Als je geniet van je werk is vakantie echt zonde van je tijd.

Als in je hoofd de zon schijnt is het altijd zomer.

Zo, genoeg wc-tegeltjes. Aan het werk! Waarbij ik blij ben dat mijn werken vooral bestaat uit schrijven en niet uit kippenslachten of prostitutie. Want daar vind ik het op dit moment gewoon een beetje te warm voor. Denk ik. Ik weet het niet, ik heb nooit kippen geslacht.

Ik wil u het verhaal vertellen van de boot:

Er zijn een paar plekken waar ik me niet zo op mijn gemak voel. Een café met ballerige types.

Elke religieus bedoelde bijeenkomst waar mannen gaan uitmaken welke rechten vrouwen hebben.

Een korfbalinterland (Nederland-België, in Ahoy' dus... meer korfbalinterlands zijn er namelijk niet).

En een boot. Elke boot eigenlijk. Ik ben meer van de vaste grond onder de voeten, al was het maar omdat je dan op elk moment dat je weg wil of het je anderszins even niet bevalt ook echt weg kunt. Lopen. Rennen eventueel. Vanaf een boot is dat stukken lastiger, zeker als je ook nog eens zwemt zoals ik zwem. Dat zit een stuk dichter bij een in blinde paniek verdrinkende blinde hond met drie poten dan bij Ada Kok. En dat is, inderdaad, niet de manier om een boot te verlaten als de boot en/of haar opvarenden je om wat voor reden dan ook niet (meer) bevallen. Als je op een boot zit, word je geacht op die boot te blijven en dat is voor mij eigenlijk voldoende reden niet op een boot te willen.

Maar goed, momenteel zit ik dus op een boot. En niet zo'n beetje boot ook. Een *houseboat*, een varend huis, op een groot Canadees meer. En voor een week. Dat is 7 x 24 uur, dat is in boot-Lingo *a fuckin' long time*. *Une merde-longe temps*. Canada, mooi land. Als ze Frans praten versta je ze niet en als ze Engels praten begrijp je ze niet. Anders had ik natuurlijk nooit mijn handtekening onder dat contractje gezet dat me tot een week *houseboat* veroordeelde. *Pas du tout,* dacht ik zo.

Direct na het ondertekenen en de controle van mijn creditkaartwaardigheid, kregen we de *captain's lessons*. Waarin we middels vele, vele waarschuwingen – storm, ratelslangen, tegenliggers die ook geen vaarbewijs hebben, koolmonoxide, kooldioxide, rotsen, golven, veertien kids in hun blote kont op een boot van de concurrerende verhuurder verderop met een veel grotere geluidsinstallatie en een voorliefde voor de onderbuik van de *gangstarap*, het feit dat je de waterwildernis inging hetgeen betekent dat er geen medische hulp binnen vier uur afstand is... – werden voorbereid op wat een heel fijne week moest gaan worden. Heel gek, maar als je mij op dat moment een huisje met een breedbeeldtelevisie had aangeboden en het schema van de knock-outrondes van het WK voetbal, had ik zeker zo blij gekeken. Dan maar geen *captain*. Wat ik trouwens ook niet ben en niet zou worden ook, want mijn betere helft heeft wél een rijbewijs en kreeg dus alle verantwoordelijkheid – dat is tot daar aan toe – alsook de algehele leiding. Op de boot. Over de boot. Gek toch... kreeg ik er nog minder zin in. Vooral toen zij daarna op drie verschillende momenten aan drie verschillende bootverhuurtypes met twee-dagen-baardjes en plukken borsthaar uit hun bootververhuurpolo'tjes en kekke zonnebrillen hoog op hun zongebruinde bootverhuurkoppetjes nog maar eens vroeg of het echt zo was dat degene met een rijbewijs de leiding had en de baas was en door de andere meerderjarige opvarenden inderdaad met *captain* aangesproken diende te worden en bepaalde wat er gebeurde op die boot en opdrachten mocht geven en het hield gewoon niet op! Maar goed, ik mocht bootsman zijn en als ik heel lief was mocht ik zelfs met de *captain* in één bed slapen. Waar zij dan vanzelfsprekend de leiding zou hebben...

Twee dingen vond ik in het filmpje dat ons landlubbers nog vertoond werd dan toch wel heel erg grappig: het dringende advies om je tijdens het aanmeren of pogingen daartoe vooral niet tussen boot en wal te bevinden, want dan zou je wel eens geplet kunnen worden op de sfeervolle rotsbodem; en als iemand te water raakte met overduidelijke drenkelingneigingen was het van groot belang hem (of haar!) die feloranje reddingsband toe te werpen, maar, werd daar even dringend bij vermeld, werp die boei dan náást de drenkeling, oftewel, niet vol tegen zijn of haar smoel. Dat laatste zou namelijk het verdrinkingsproces wel eens kunnen bespoedigen. (Als ik te water ga met enige drenkelingneiging is het echt zonde van je oranje reddingsband, bidden lijkt me de enige mogelijkheid. En daar verwacht ik gezien mijn zondige levenswandel ook niet al te veel van.)

En nu is het avond, elf uur. We liggen aan een verlaten rotsstrandje, miljoenen muggen zoemen om de boot en sommige ook in de kajuit en over mijn goedgevulde bloedvaten, ik ga ervan uit dat de twee landvasten (dat zijn touwen) voldoende stevig aan land vast zitten om ons op dezelfde plek te laten ontwaken en ik verheug me op een wilde nacht met *my personal captain*. Aye aye!

In de loop van de ochtend gaat de telefoon. Niet dat we hier te-

lefoon hebben maar het bereik van het mobiele Canadese net-
werk blijkt voldoende om ons Nokia'tje te laten trillen. Zelfs
dusdanig dat ik het voel als ik buiten ben, op het achterdek
maar liefst, waar mijn vele kinderen kabaal maken alsof ze ge-
vild en -vierendeeld worden, terwijl ze niet meer doen dan een
zelfverkozen bad in een meer nemen. Een ongetwijfeld best
koud meer, maar van mij hoeven ze ook echt niet. Zwemkunst
noch waterliefde kunnen ze van mij hebben. Douchen daaren-
tegen vind ik heerlijk, maar dat zal toch ook te maken hebben
met het feit dat je al douchend je voeten op de (vaste) grond
hebt en houdt, plus dat je uit de douche kunt stappen als je de
douche (of het gezelschap aldaar) zat bent. Op onze houseboat is ook een douche, als ik daar met enige *drive* uitstap sta ik
in de plee.

Afijn, telefoon. Lieve mensen bellen ons op, vanaf een tuin-
feest op een van de mooiste plekken van Friesland. Ik hoor de
stem en de verhalen en de muziek op de achtergrond en kin-
dergelach en dronkemansgelal... het is een topfeest. Dan krijg
ik mijn schoonmoeder aan de lijn en valt zomaar dat kleine te-
lefoontoestelletje in het water... blubblub, 's kijken wat dat met
de verbinding doet. Nee hoor, ik geef met wat sympathieke
woorden het toestel aan mijn vrien... sorry, de *captain*. Die
praat aansluitend een half uur lang over broers en zusje en fa-
milieroddels anderszins. Ik stuur ondertussen de boot richting
bebouwing, terug richting Sicamous eigenlijk, richting spoorbrug ook waar we onderdoor moeten zien te komen. Ik mag
natuurlijk helemaal niet sturen – want ik heb geen rijbewijs! –
maar nu mag ik dan toch sturen van de kapitein. Want zij zit
effe te bellen.

Bij de spoorbrug heeft zij het heft en het roer weer in handen en dat is maar goed ook want voor ons zit een *houseboat*
die slingert als André Hazes in zijn beste jaren, maar dan op
een heel slechte dag. Op het moment dat we van de *base* door-

krijgen dat de spoorbrug speciaal voor ons beiden geopend is breekt op de boot voor ons pas echt de vliegende tering uit. Qua paniek. Ze gaan eerst te hard en te schuin, dan remmen ze af waardoor ze te langzaam gaan (maar wel in de goede richting!) waarvan ze zo erg schrikken dat ze nog verder afremmen, daardoor elk vermogen tot sturen kwijtraken en dan de vijftien meter brede opening onder het spoor dreigen te gaan missen. Dus wat doen ze: vol in *reverse*. Dat is achteruit, dat is recht op ons af, volstrekt onverwacht maar wel lekker hard. Ze doen me opeens denken aan een vrouw van in de zeventig die ik een jaar of dertig geleden in de Watergraafsmeer, een beschaafd buurtje in Amsterdam, bij een poging tot in- of uitparkeren zo in paniek zag raken, dat ze in plaats van *doucement* naar achteren te rijden haar DAF in de een of andere versnelling ramde, vol vooruit de stoep op reed en met volle kracht in de pui zette. En toen uitstapte met zo'n blik van: ja, daar wilde ik 'm vandaag es parkeren!

Als je met een boot eenmaal achteruitgaat, ga je ook niet een, twee, drie weer vooruit, maar goed, we hebben de tijd, het is vakantie. Toch? Bij hun tweede poging houden wij voor de zekerheid flink wat afstand en tot onze vreugde is er ook na hun wanhopige manoeuvres nog treinverkeer mogelijk tussen Kamloops en Calgary.

Aansluitend begint voor ons het grote tuffen. Urenlang over een groot meer dat op een bepaald moment overgaat in een ander groot meer, lekker op het bovendek in het zonnetje, zo nu en dan verstoord door speedboottypes die zo dicht mogelijk langs die suffe *houseboats* scheuren omdat het natuurlijk heel erg grappig is als zo'n drijvend huis dan aansluitend op jouw hekgolf op en neer danst met al het vallende servies en de gesneuvelde koppen koffie van dien. Nadat dat een keer of vier gebeurd is, besluit ik de eerstvolgende snelheidsduivel die ons op die manier gaat passeren te trakteren op een oud-Hollands internationaal begrepen gebaar, de fel opgestoken middenvinger. Ook op het open water goed bruikbaar.

Aaah, daar komt er weer een, ik strek de vinger vast buiten beeld, als een prins van Oranje in de Koninginnedagbus, ik ben er klaar voor, daar komen ze langszij, ik ga vol omhoog met mijn vinger en zie dan dat het een boot is met een stuk of acht opgetogen, verwaaiende bejaarden... ze zijn al begonnen met zwaaien, naar mijn vele kinderen, naar mijn *captain,* naar mij ook. In een *split-second decison* weet ik de *fuck you*-vinger om te zetten in een bootsmannerig gebaar naar mijn denkbeeldige pet. Drie van de oude oude mannen zien het en staan op, ondanks snelheid en golfslag, en salueren terug. Jezus...'t zijn vast nog veteranen ook, hebben dik zestig jaar geleden mijn land bevrijd en krijgen nu bijna de vinger omdat ze joelend-hard langsscheuren. *Sorry! Mes Excuses! God bless Canada!*

Nadat we nog twee drijvende winkels zijn gepasseerd en een stuk baai waar naar het schijnt elke avond luid en langdurig gepartyd wordt – daar wil ik heen, mag ik daar heen, *You gotta fight for your right...* – bereiken wij onze ankerplek voor deze avond. Iets verderop schijnt een dorpje van vijfentwintig huizen te liggen, vlak langs het water ligt een doorgaande onverharde weg met kuilen en stenen waar de bootsman een stukje kan gaan hardlopen, drie futen zwemmen langs, in de verte springt een zalm (?) meer dan een meter boven het wateroppervlak, Buffalo Tom zingt me de avond in... *I watch your taillights fade to black.*

De dame staat me vriendelijk te woord (man wat ben ik blij met die mobiel met bereik, overal op dit meer!) maar heeft denk ik vooralsnog geen idee waar ik het precies over heb. Ze begrijpt wel dat we een van de vele vele *houseboaters* zijn die deze meren bevolken – had ik al verteld dat Sicamous *the houseboating capital* van Canada is? – begrijpt zelfs dat we op enig moment helemaal vanuit Nederland deze kant op geko- men zijn om hier 7 x 24 uur op zo'n boot te zitten maar wat ik nou precies morgen op televisie wil zien...? Iets waarin Neder- land speelt en wat best belangrijk is, iets van sport ook. Ze gaat even vragen, of ze daar (jachthaven annex winkel annex tank- station annex vers-waterdistributeur) eigenlijk televisie heb- ben en of ze het kanaal hebben dat gaat uitzenden wat ik zo graag wil zien en... Ze komt weer even aan de lijn, om te vragen over welke sport ik het eigenlijk heb. Aaaah, *soccer*, ja, dat heeft ze gelezen... oké, even vragen nog. Ik hoor in de verte een man- nenstem, ze overleggen. Voetbal is hier niet de sport, dat lijkt me duidelijk. Hockey is hier de sport en dan wel de variant met maskers en tocs en sticks en bodychecks en rondvliegende tan- den en bloed aan de puck. Er komt echt geen Klein Zwitser- land aan te pas, hier, bij hockey. Niks 'druk een punt', DRUK EEN PUCK! Vier dagen geleden dreigde historie te worden ge- schreven toen een Canadees team, de Oilers uit Edmonton, de Stanley Cup leek te gaan winnen (voor het eerst in dertig jaar of zo en de Stanley Cup is de enige beker die echt telt in de ijs- hockeywereld), maar uiteindelijk kregen de Oilers in wed- strijd zeven van de *best of seven* toch klop van Detroit, een team waar trouwens nog meer Canadezen in spelen dan bij de Oilers. Alle NFL-teams drijven, sorry, glijden op Canadezen. Finnen, Zweden, Tsjechen ook. SPOILERS! was de goedbe- dachte kop in de krant, de volgende dag. En voetballen, dat is voor op de camping.

Bleek ook uit het antwoord van de dame: er was een plek langs de kust, een plek waar twee Britten een pub dreven en omdat dat Britten waren was de kans groot dat ze zich in enige mate in zouden laten met voetballen en daar hing ook vast wel een televisie, dus... Dus, *thank you very much*, dame, wij gaan ons morgen bij die pub melden. Nou maar hopen dat hun toegangsbeleid een beetje Iers is – iedereen is welkom in de pub, mannen vrouwen kinderen baby's honden toeristen, althans tot een uur of zeven des avonds. Dan begint het *serious drinking*, daar mag je alleen bij zijn als je de legale leeftijd voor die bezigheid hebt bereikt of goed bevriend bent met de uitbater – dat systeem dus, en niet het systeem waarbij je voor elke scheet om een identiteitsbewijs wordt gevraagd. We zullen zien.

Vandaag zien we overigens verder weinig, want we blijven liggen op de plek waar we al lagen. Meer, golven, nog veel meer meer, een beboste helling aan de overkant van het meer en geregeld passerende houseboats, speedboten, boten met waterskiërs of *wakeboarders* zelfs, alles wat drijft komt hier langs. En gelukkig soms ook wel eens iets wat niet echt drijft, niet echt blijft drijven. Zoals de rubberboot met toch zeker zes kinderen van luidruchtige ouders verderop, die wel eens even een flink stuk het meer op zou gaan. Prachtig, dat *Titanic*-gevoel dat je dan krijgt als toeschouwer in de veilige verte. Plus Céline Dion zong er niet doorheen, ook mooi.

Tegen de avond zetten we de motor nog een uur aan. Dat moet van de verhuurders. Sterker nog, ze rekenden ons voor dat je per dag zo'n zes uur de motor moet laten draaien om de elektriciteitsvoorziening in je drijvende paleisje op gang te houden, maar wij blijken zo schandalig weinig te verbruiken dat het met een paar uur varen of een uurtje tuffen zonder echt te tuffen ook werkt. Behalve natuurlijk als we woensdagochtend met een volledig dode uitgeputte niet-meer-te-starten boot zitten. We zullen zien, maar dat zei ik al.

Over dik drie uur ben ik jarig. Ik word 43 op een boot ergens tussen *middle of nowhere* en *straight up shit creek*. Hoera! Hoera! Hoera!

Op 25 juni schijnt het Nederlands elftal historisch gezien zo ongeveer nooit te winnen en vandaag bleek daarop helaas geen uitzondering. De scheids kreeg FIFA-RSI van alle kaarten die hij moest trekken – en dan miste hij nog een zuivere kopstoot – en Nederland was natuurlijk véél beter maar scoorde niet – buitenkant-schoen Van Persie, Cocu raakte de lat zo hard dat de helft van de handgeknoopte knopen spontaan uit het net schoten, Robben kreeg nog een fijne karateschop op het bovenlichaam en aansluitend een vrije trap tegen (zou de eerste schwalbe inclusief een gebroken sleutelbeen kunnen zijn) en Portugal wel, afijn, tranen met tuiten, vooral als ik terugkijk naar hoe ik zat te kijken. In de genoemde pub, waar mijn kinderen wegens regelneuken inderdaad niet binnen mochten, zodat de *captain* en ik alternerend tien minuten wedstrijd keken en dan weer tien minuten nagelbijtend op dat overdekte patiootje zaten. Waar het wegens een buitentemperatuur van 28 graden of zo ook maar warmer en warmer werd. De gehele tweede helft besloot mijn captain dat het haar te spannend was en werd en zou blijven, bovendien raakten onze kinderen bevangen van de hitte en een overdosis kleurboeken, dus gingen zij drieën terug naar boot en koel water. Dus ik in mijn eentje tegenover dat scherm.

Althans, ik was de enige die keek. Drie tafels schuin achter me raakten snel gevuld met een groep presenioren die allerlei reiservaringen en topplekken en dieptepunten en zomeer uit te wisselen hadden en die helemaal niet bezig waren met de doodsstrijd van elf oranje voetballers in witte shirts.

Net voor de rust was er een man die een kwartiertje met me meekeek. Hij bleek net een paar weken terug uit ons land waar hij bij Bergen op Zoom de oorlogsbegraafplaats had bezocht, waar zijn vader rustte. Natuurlijk, heb ik weer, de zoon van een veteraan, ik stond al in de houding. Aardige man, vroeg zich alleen af waarom Oranje in witte shirts speelde.

Na de rust ben ik dus 'alleen'. Net als ik me afvraag of het nog spannender kan worden, kiezen drie vrouwen het tafeltje schuin naast me, net niet onder de tv, om elkaars vakantiefoto's te gaan bekijken. En becommentariëren. Aaaaaaaaaah! Dat was ik, na weer een net gemiste kans. Drie minuten later schreeuw ik zo hard dat twee presenioren zich verslikken in hun Garden Burger en vlak voor me de foto's van een wandelvakantie in de Kootenays door de lucht vliegen. Al snel hebben alle andere aanwezigen de zaak verlaten. Lekker, kan ik heen en weer lopen, mompelend in mezelf. Ik denk wel eens dat alle stadsnomaden en zwervers die je al mompelend tegenkomt in de straten van de stad eigenlijk mannen zijn die mentaal zijn blijven steken in die laatste, te spannende wedstrijd op tv.

Er ligt weer eens een Portugees op de grond. Ik weet dat mijn vader, 10.000 kilometer verderop het woord 'volkstoneel' in de mond neemt, ik wou dat ik daar was of hij hier, kon ik tegen iemand schreeuwen die weet waarover je schreeuwt. En waarom. Het blijkt een pijnlijk dijbeentje te zijn, *auwauw*, de verzorger erbij en terwijl ze samen richting zijlijn sjokken, bewerkt hij het voetbalbovenbeen van knie tot lies met een ijszakje. De Canadese commentator zegt '*He is now icing the players thigh... at least, we presume that's what he's doing...*' Ik schreeuw: 'Nee dropvlecht, er wordt daar op het onweerstaanbare ritme van de fado een rechtermiddenvelder afgemasturbeerd terwijl er 800 miljoen mensen meekijken!' U merkt, de spanning werd me bijna te veel. Elf tegen tien, tien tegen tien, tien tegen negen... het maakte allemaal niet uit. Wij waren beter maar zij wonnen en dus waren zij beter.

En dan moet je netjes afrekenen en je excuses aanbieden voor je gedrag en glimlachen dat het allemaal zo erg niet is en dan nog helemaal terug naar die fukking boot, over een asfaltweg bij nu zeker dertig graden. 'Ik wil dat Nederland juicht' was de slechtlopende zin waarmee Guus M hoopte te cashen op de golven van Nederlands voetbalsucces, de slechtlopende zin ook die nu door mijn hoofd gaat. Ik wil dat er nooit meer van die liedjes worden gezongen althans dat ik ze nooit meer hoef te horen, zodat ze in elk geval niet door mijn hoofd kunnen spelen op een moment dat ik behoefte heb aan troost en begrip.

Mijn kinderen en hun captain hebben heerlijk gezwommen, mijn dochter zingt enthousiast 'Ik zou graag met mijn vader naar Oranje willen gaan / eens gewoon met hem tussen de supporters staan / dan kijk ik hoe ze scoren worden zij de nummer één / ach Oranje daar kan niemand toch omheen... ooh Nederland wordt kampioen / daar kan de hele wereld niks aan doen'. En dat dan twaalf keer. Poëzie, mensen. Op een boot, meer dan ooit *way up shit creek*.

Laat in de middag bereiken we een volgende plek, ergens om de bocht, nog steeds datzelfde grote meer. We leggen aan, knopen vast, ik kleed me om en ga trainen. Twee minuten later ben ik terug. Ik kan namelijk niet weg. Ik kom niet weg. We zijn omringd door de Canadese versie van de jungle, dicht- en dikbegroeid, stenen, rotsen, glijmos, slangen (?), prikbeesten. Ik kom niet weg, ik kan niet weg, ik kan niet lopen want de weg is weg. Wat een dag. Wat een ongeëvenaarde klotedag.

Seymour Arm is niet zomaar een plek aan een meer, volgens de gids. Restaurants, winkels, een art gallery met Oost-Europese kunst, hotel, camping met alle faciliteiten, pub, *cabins* te huur... het is bijna te veel. Sterker nog, het is te veel, want restaurant en hotel en cabins zijn nog gesloten (dichtgetimmerd) tot Canada Day, begin juli, voor de kunst moet je een week van tevoren bellen, de winkel blijkt drijvend en tegenwoordig een stuk verderop, de camping is een triest zanderig stukje bos met een gat in de grond ter sanitaire ontspanning en de pub... de pub is open. We leggen aan, rammen de ijzeren palen in het strand die de landvasten vasthouden aan het land, doen iets van een shirtje aan en wandelen opgetogen de pub binnen. Aan het strand, terrasbalkonnetje, nou nog een grote latte en goede sandwiches en een krant en ik zou zomaar het idee kunnen krijgen dat de beschaving nog bestaat en ik er nog aan mag meedoen ook. Dertig seconden later blijkt dat allemaal inderdaad niet het geval te zijn, in deze uithoek van Canada, deze week. We mogen binnenkomen maar moeten eigenlijk gelijk weer naar buiten want kinderen in een pub, NEEEEE, en op het terras mag ook niet en sandwiches hebben ze niet maar het restaurant verderop is vanaf vrijdag open en... dit alles in een Poolse variant van Canadengels, bijna onverstaanbaar maar erg vriendelijk. We verlaten de zaak met vier lauwe blikjes drinken en wat chocola, want Natalja weet zeker dat kinderen dat lekker vinden. Dus.

We lunchen uit eigen ijskast.

Alles is dicht of weg of gesloten hier in Seymour Arm, behalve de muggenkwekerij. We houden voor- en achterdeur dicht, geen pretje bij de temperaturen van vandaag, de ramen zijn behord, maar toch vliegt er van alles door de kajuit en doe ik weinig anders dan muggen vermoorden. Later op de dag sla ik ze steeds vaker plat op mijn been of arm en zie dan direct een plekje bloed verschijnen, naar ik aanneem mijn eigen bloed van een uurtje eerder. Ze zijn meedogenloos! Als ik even buiten kom – ik probeer het te vermijden maar soms moet je een kind uit het water trekken of poseren voor een volgend foto-ideetje – duiken ze binnen vijf seconden op me, liefst in mijn knieholte of een andere gevoelige en slecht bereikbare plek. Ik train me gek om mijn bloedwaardes op peil te krijgen, die fukking mosquitoes zuigen me net zo makkelijk weer leeg. Pas als ik ga trainen ben ik ze even een uur kwijt, ik geloof dat ze me niet bij kunnen houden. Of ze weten dat ik toch wel weer terugkom, lekker bezweet en met versdoorbloed bloed.

En dat klopt. Want de training was zwaar en warm... volgens Natalja is het vandaag 38 graden. Dat zal dan wel een Poolse thermometer zijn, maar boven de dertig (32?) was het zeker. En dat is warm. Vandaar ook dat ik direct na de training doorloop, het water in (papa zwemt, papa zwemt, bel de krant!) en later op de dag zelfs een biertje drink. Van de regionale brouwerij. *Pale Ale*. Bleek bier. Passend en erg lekker.

Een overenthousiaste mug heeft zojuist gepoogd mijn beeldscherm te prikken, ik ga afsluiten, morgen meer meer.

O nee, vannacht al... alles was hier dicht, dat weet je, maar vanaf kwart voor elf 's avonds gaan alle versterkers op elf. Bij de pub, in de pub, voor de pub. Rock-'n-roll mensen, twee uur lang alle stoeremannenplaten die ooit gemaakt zijn, van 'Start me up' naar 'Summer of 69', van 'Paranoid' naar 'Cum on feel the noize', van Kiss naar Nickelback. En hard... hard! Plus meezingen, in een andere toonsoort vanzelfsprekend en met bierglazen en blikjes op de tafels het ritme, nee, een ritme meerammen. Het was een feest, in Seymour Arm, behalve natuurlijk als je met je bootje tien meter verderop op de grens van land en zee lag en heel graag wilde slapen. Afijn, Warren Zevon zei al '*I'll sleep when I'm dead*'. En hij kan het weten.

's Ochtends was alles en iedereen vanzelfsprekend in diepe rust en besloot ik al voor tien uur de boot de boot te laten voor een fijne duurloop. Scheelde toch zeker tien graden met gisteren. En ik kwam helemaal niks of niemand tegen, behalve verderop langs het meer twee keer zo'n loggerstruck vol omgehakte bomen. Waarna je anderhalve minuut in of door zo'n zilvergrijze stofwolk probeert door te lopen en je adem probeert in te houden. We zien ze ook geregeld vanaf het meer, ergens tussen de bomen een doorgaand lint van zilvergrijs stof... daar loopt de weg, daar rijdt iets over de weg, daar hangt minutenlang die zilveren wolk. Mooi.

Na een paar uur varen bezochten we dan toch eindelijk de varende winkel, de *floating shop*, een soort grote ponton midden in een baai, met een restaurantje en een *foodstore* en een winkeltje met T-shirts en piratenvlaggen en buiten nog *icecream* en een benzinepomp. Plus een grote hoeveelheid vuurwerk, omdat het aanstaande zaterdag Canada Day is. De nationale feestdag waarbij gevierd wordt dat ze geen Amerikanen zijn, geloof ik. Vandaar ook dat ze het drie dagen voor Fourth of July doen, denk ik. Het is voor het eerst in bijna een week dat we iets van een winkel zien, dus dan ga je niet weg zonder broodjes en boodschapjes en een vlag en een jurkje en een T-shirt (opdruk: WOMEN WHO BEHAVE RARELY MAKE HISTORY, persoonlijk ben ik gek op vrouwen die zich niet altijd gedragen). En het voelt toch anders, zo'n boot aanleggen vol in de wind, tegen een ook al drijvend ding, in plaats van je autotje inparkeren op de parkeerplaats achter Dirk van den Broek.

Een uur later bereiken we de mooiste ankerplaats tot nu toe, privéstrandje, namiddagzon, fijne golven. Die steeds pittiger worden en hoger, zal de wind zijn die ook maar toeneemt, of de stroming, of allebei. Opeens hangt de boot nog maar aan één landvast, is de captain bang dat we de boom die ons nog vasthoudt gaan ontwortelen, trek ik onze vele kinderen uit de golven, weten we de touwen min of meer los te krijgen en de boot maar net weg van de kust en op gang voordat-ie zijdelings de rotsen verderop gaat beklimmen. Eén probleem: ik ben niet mee. De boot was al te ver, de touwen moesten nog helemaal los, ze waren me zat... je weet het niet. Ik zit op een grote boomstronk en zie (bijna) alles wat ik heb wegvaren. Verderop liggen nog een paar houseboats, straks maar 's kijken of ze ergens nog een *berth* overhebben. Nog goed dat ik er zo verdomd lekker uitzie momenteel, gebruind, semi-afgetraind, zevenhonderd muggenbulten, doornatte broek. Aah, kijk nou, de captain koerst weer op de kust, en mij, af. Ik ga op een plek eind in zicht – eigenlijk steeds meer gaat genieten van het water en de rust en de zon en zitten op een dikke boomstronk, dekentje eroverheen wegens volstrekt gebrek aan zitvlees op de bilpartij, met een topkopje 'orange pekoe' (gekocht op de varende winkel!) en een mooi boek. Het is gewoon lekker, zo'n houseboatje en de plekken die je ermee kan bereiken, plus als het wat waait zijn er veel minder muggen en de 38 graden van eergisteren zijn ook weer voorbij... ik vind het wel mooi zo. Tot ik ga trainen dan en 25 minuten aan één stuk (steil) omhoog loop omdat er maar één weg is, hiervandaan, en die gaat kilometer na kilometer omhoog. *Hevvie!*

Tegen de avond hebben we ook weer buurboten aan beide kanten, rechts houden ze van kaarten (vooralsnog zonder vals spelen en vechtpartijen daaruit voortvloeiend), links zijn ze van de SeaDoo-waterscooters (en pogingen tot *wakeboarden*) en stappen ze, onder begeleiding van Amerikaanse kreun-metal, in de *hot tub*. Het is vol te houden, de laatste avond kruipt voort, ons seksparadijs wacht. *Yeah right...*

Dus dan wil je van die boot af, maar dan moet je eerst zorgen dat je volgens de regels van die boot afkomt. Dat je 'm kwijtraakt, inlevert, uitcheckt...weet ik veel hoe dat bij huurhouseboats heet. Wij koersten geheel volgens planning op de spoorbrug af, waren zelfs wat vroeg, de captain trok ontspannen wat aan het roer, op het bovendek, in de ochtendzon, ik was druk vegende en opruimende en moppende, en de kast met eten moest nog leeg en de ijskast ook en onze vele kinderen worstelden met een opblaasding waar de lucht uit moest. Afijn, we besloten wat rondjes te varen totdat de boot schoon was en klaar voor de thuishaven, de captain had trouwens ook nog een telefoongesprekje met een grote broer af te sluiten, aansluitend zochten we contact met de *base* en hoorden we dat de brug over een minuut of tien open zou gaan. Wij koersten ondertussen, wegens rondjes, een beetje de verkeerde kant op. Zeg maar weg van de brug. Niet naar de brug toe. *Away from the bridge*. Maar als ik één ding had geleerd in een week *boating* was het wel de *captain* nooit (NOOIT) aan te spreken op koers, snelheid, manier van aanleggen of iets anders wat te maken zou kunnen hebben met haar *captains*-kunsten. Dus.

Dus koersten wij lekker de verkeerde kant op terwijl (steeds verder) achter ons langzaam maar zeker die roestige spoorbrug openkraakte. Dus.

Dus zei ik op een bepaald moment dat het wellicht toch slim was eens de andere kant op te koersen al was het maar omdat we eigenlijk toch een beetje de verkeerde kant op gingen, nu. HOE BEDOEL JE DE VERKEERDE KANT, IK WEET ECHT HEEL GOED WELKE KANT WE OPGAAN EN DIE BRUG DIE LIGT... DIE ZIEN WE ZO... DIE IS NET OM DE... waar is die brug nou?* Ik fluisterde: 'Achter ons, liefie, de andere kant op, zeg maar.'

Waarna we besloten dan maar eens om te draaien en maar eens de goede kant op te gaan varen. Toen we dat eenmaal besloten hadden, was het verder gelopen koers, ondanks stroming en zandbanken en tegenliggers en vadsige patsers met motorbootjes vlak voor ons langs. Onder dat bruggetje door, langs de verschillende *docks* het kanaal in, waar het steeds drukker werd met schippers-voor-één-week die allemaal foutloos en schadevrij die week wilden afsluiten. Wij dobberden en dobberden totdat we het sein *all clear* kregen, waarna de captain, de vreugde van mijn hart, de vrouw met zout, zoet en brak water in de welgevormde aderen, die boot tegen de kant

---

* Oké, dit is niet waar, maar het leek me zo'n goed moment voor een onterechte woede-uitbarsting van haar kant. Sorry. Ik ben een min mens. Soms.

aan legde als een moederhand tegen een babybuik. Zacht, precies, liefdevol, perfect. Ze kreeg zelfs een compliment van een van de verhuurtypes. *Good driving, skipper.* Ze is de rest van de dag niet meer op de begane grond geweest, mijn captain. Onze captain.

We waren terug, thuis, vaste wal, aarde, vaste grond onder de voeten, *ground control to Major Dolf,* de zon scheen, Vancouver wachtte op ons. En we waren nog niet in de haven of in Nederland viel het kabinet. Soms is het leven opeens wel erg mooi.

Crisisss

(In de auto onderweg naar Kamloops en Vancouver schreef ik mijn persoonlijke versie van de kabinetscrisis. Leuk voor op de radio. Lees maar.)

1.
Gisteravond, half zeven, werd ik gebeld. Ik was net wakker, maar dat zal 't tijdsverschil zijn. Ik hoor 'Dolf, ze willen me weg hebben.' Was 't Rita. Verdonk.

Ik zeg 'Ik dacht dat jij allang uitgezet was.'

'Nee hoor,' zegt zij, 'ik ben er nog, ik ben taai als taaitaai, hardnekkig als onkruid in je gazon, onuitroeibaar als het aidsvirus, onuitstaanbaar als een Italiaans doelpunt in de drieënnegentigste minuut...'

'Maar waarom dan Rita,' zeg ik, 'waaróm?'

'Ik denk Kalou.'

'Kalóú?'

'Ja,' zegt zij, 'met Kalou dreigend op links had Robben meer naar binnen kunnen steken, verwarring bij de punt van de zestien, ruimte voor Van Persie, nog twee kapbewegingen extra en dan niet met het buitenkantje maar vol d'rop in het dak van het doel. 1-1. Speel je een heel andere wedstrijd, schakel je Portugal uit, rol je even Engeland op, sta je al bijna in de finale.'

Ja, daar was ik ook even stil van.

Ik zeg 'Rita, wie wil jou weg hebben?'

'Nou, iedereen,' zegt zij.

'Ja, natuurlijk, maar wie specifiek?'

'Nou, die tut van een Lousewies van der Laan...'

Ik zeg 'D66, bestaan die nog?'

'Ja,' zegt Rita, 'dat is net taaitaai, onkruid in je gazon, het aids-virus, een Italiaans doelpunt...'

'Jaja,' zeg ik, 'doe even gewoon zeg!'

Daar was zij even stil van.

Ik zeg 'Rita, meid, hou je rug recht. Ik steun je. Ik sta achter je, een heel eind. Hou vol! Hoezee!'

2.

Vijf minuten later, weer telefoon. Ik had net een hele pina cola-da van de gebruinde buik van mijn vriendin gelikt, in mijn hoofd hè, tringtring.

Wie denk je? Lousewies! Lousewies, *last man standing* van D66. En helemaal opgewonden, rode vlekken in d'r nek, stoom uit d'r democratische oortje, en achter haar het geluid alsof ze Hans van Mierlo, Jan Terlouw en Boris Dittrich vastgebonden en dichtgetapet in een heel diepe kast aan het proppen waren.

Ik zeg 'Lou, meissie, wat klink je opgewonden... dat is een tijd geleden. Zo opgewonden.'

'Dolf,' zegt ze, 'Dolf, ik heb je nodig...! Ik ben druk doende in mijn gloeiende eentje het hele kabinet omver te werpen maar nou komt er een stemming over de niet-aangenomen motie van wantrouwen tegen Rita Verdonk.'

Ik zeg 'Rita? Ik dacht dat die allang was uitgezet...'

'Nee,' zegt Lousewies, 'die is taai als taaitaai, hardnekkig als onkruid in je gazon...'

Ik onderbreek d'r, want als vrouwen eenmaal gaan praten kan je ze maar beter onderbreken, weet ik uit ervaring. Ik zeg 'Lou, wat is het probleem?'

'Nou,' zegt ze, 'we zijn ervoor dat we tegen Verdonk zijn, vandaar dat spoeddebat, maar we zijn ertegen om voor niet-aangenomen moties te zijn, want dat is democratie, dus denk ik: kunnen we dan voor het negeren van een niet-aangenomen motie van wantrouwen zijn waar we eigenlijk voor waren, dus dat zou tegen betekenen, maar we kunnen niet tegen zijn want hij is niet aangenomen dus daar zijn we voor want dat is democratie...toch?'

Ik zeg 'Lousewies, ik viel een beetje weg bij het spoeddebat, maar ik denk dat je op je gevoel moet afgaan.'

Daar was zij even stil van. En toen nog even.

Ik zeg 'Gevoel... dat je iets voelt, dat je echt met je hart ergens voor staat en daar dan naar handelt.'

Daar was ze nog steeds heel stil van.

Ik zeg 'Lou, wat je ook doet, hou je rug recht. Ik steun je. Ik sta achter je, een heel eind. Hou vol! Vermorzel Rita, plet Jan Peter, ook al houdt D66 maar één zetel over bij de volgende verkiezingen, jij zit geramd! Hou vol! Voor Nederland!'

3.

Nog geen kwartier later, ik had net de eerste dertien pagina's van dat onderzoek van de Nederlandse vereniging voor seksuologie met een paar simpele vinger- en tongbewegingen weggemaaid, in mijn hoofd hè, weer telefoon. Wat had ik een spijt van die telefoon, maar ja, het vaderland roept. Wie denk je... de Koningin!

Ja, de Koningin, belde mij, Hare Majesteit, wij Beatrix... ik zeg 'Be, Baby, wassup?'

Zij zegt 'Hey big boy, is-ie nog steeds oranje?' Afijn, we hadden eerst een privéconversatie, wat mooie herinneringen, en toen *back to business.*

Dus ik vraag *'Be, baby, trouble in tha house?'*

'Ja,' zegt ze, 'heb ik vorig jaar dat fukking jubileum moeten vieren, alle fukking provincies langs, meer kantklossen en plaatselijke kruidenbittertjes dan je iemand zou toewensen, dacht ik dit jaar even te chillen en dan volgend jaar weer lekker met JP om de tafel... nou, dikke naks, ze staan op vallen. Het is bijna omver, het is zo goed als voorbij, we're up shit creek without a peddle.'

Ik zeg 'Talk to me Be baby, let it all out, spill the beans.' Echt, ik zei maar wat, maar zo vaak belt ze me ook niet, in tijden van Nationale Crisis.

Dus zij zegt 'Dat kabinetje gaat vallen, dus over een uur of zo, rijdt het skeltertje voor en stapt JP af in zijn beste kloffie en begint-ie van Majesteit, ik ben hier om het ontslag aan te bieden bladibla... Dolf, ik trek dat niet, ik kan die jongen gewoon niet serieus nemen.'

Daar was ik even stil van. Een skelter...

Dus zij zegt 'Dolf, zal ik 'm terugsturen, om te lijmen, of om het dan maar zonder D66 te proberen, of...'

Ik onderbreek haar. Ik mag dat. Ik zeg 'Be baby, nee! Niks terugsturen, niks lijmen... luister, zit jij liever cheek to cheek met Wouter Bos of met JP?'

'Halloo,' zegt de majesteit, 'wat een vraag... Heb je liever een goed glas wijn of een gloeiende staaf in je poeperd?'

'Oké,' zeg ik, 'je gaat all out voor Wout. Jij gaat los voor Wouter Bos!'

'O, Dolf,' zegt ze, 'ik verheug me nu al op heel moeizame formatiegesprekken, glaasje wijn erbij, als het laat wordt kan Woutje gewoon blijven slapen...'

Ik zeg 'Be baby, we zijn eruit, laat vallen dat kabinet, laat knallen die zooi, we gaan het helemaal anders doen! Hou je rug recht. Ik steun je. Ik sta achter je, vlakbij. Hou vol! Hoera hoera hoera!'

Oilsands

Er is iets aan de hand in Canada. Iets groots, zeggen sommigen, iets wat de balans in de wereld zou kunnen gaan veranderen. Een grote luchtbel gebaseerd op onmogelijkheden – als dat althans geen dubbele ontkenning is – volgens anderen. Het gaat over de *oilsands* van Alberta, waarbij Alberta een van de provincies hier is en die oilsands een immens gebied waar de bodem bestaat uit een mengsel van onder meer zand en ruwe olie. Een puntige uitleg van de technische kant daarvan moet u niet van mij verwachten, maar de optimisten hier praten van een olievoorraad die wellicht groter is dan de voorraad die Saoedie-Arabië ooit had. En dat is heel veel olie. Dat zou de Verenigde Staten, om eens een bizarre olieverbruiker te noemen, kunnen redden van totale afhankelijkheid van Arabische landen, islamitische staten, stiekeme ondersteuners van anti-Amerikaans terrorisme, noem maar op. (Echt waar hoor, elke keer dat een Amerikaan zijn Hummer voltankt of zijn airco op vier zet wordt het lastiger om de *war on terror* te winnen. Maar leg dat maar eens uit aan Dick Cheney van wie de uitspraak is 'over de Amerikaanse levensstijl is niet te onderhandelen'.)

Een paar weken geleden las ik voor het eerst over dat oliezand in Alberta. In het boek *The Long Emergency* van James Howard Kunstler, een behoorlijk beangstigend relaas over waar we zijn beland als wereldbewoners, wat we allemaal al hebben opgemaakt en waar we in de eerstkomende jaren gaan belanden. En naar die plek, of situatie, verwijst de titel van het boek. Hij maakt duidelijk dat bijna alles wat we doen mogelijk werd en wordt gemaakt door overvloedig aanwezige en daardoor goedkope of betaalbare olie, en maakt aansluitend duidelijk dat die situatie zo goed als voorbij is omdat er geen olieovervloed meer is en die er ook nooit meer zal zijn. Als hij mogelijke alternatieven of 'oplossingen' langsgaat, noemt hij ook die oilsands. Volgens Kunstler is de olie heel moeilijk te winnen en dan alleen nog ten koste van onwaarschijnlijke hoeveelheden (spoel)water, ten koste van het grondwater dat ernstig vervuild raakt en ten koste van grote hoeveelheden energie (het zou zo'n twee vaten olie kosten om drie vaten olie te winnen). Maar goed, de optimisten hier bezien de *oil-boom* zoals de goudzoeker honderdvijftig jaar geleden – tijdens de goudkoorts – het goud. Goud! Onbegrensde mogelijkheden, rijkdom aan de horizon, *let's go to Saoudi-Alberta!*

En omdat er nogal wat optimisten rond blijken te lopen hier, voelt heel Canada nu al de gevolgen van de oilsands. En is Dick Cheney uitgenodigd om het moois met eigen ogen te komen bekijken.

Oilsands (2)

Vorige keer schreef ik over de oilsands van Alberta en de hoop van veel Canadezen (en Amerikanen) dat deze de steeds groter wordende energieproblemen van 'het Westen' zouden kunnen oplossen. Of op zijn minst weer een paar decennia vooruit kunnen schuiven. (In het boek *The Long Emergency* van James Howard Kunstler wordt betoogd dat we in dezen allang het 'point of no return' voorbij zijn, dat we ons moeten voorbereiden op jaren, decennia, generaties van chaos en zeer grote veranderingen in levensstijl.)

Maar goed, die oilsands liggen er, ze bevatten heel veel ruwe olie en dus is er een begin gemaakt met de winning. En is er opeens in allerlei best afgelegen delen van Alberta geld te verdienen. Veel geld. Een Nederlandse ondernemer die ik er vorige week over sprak – die zelf ook al een paar personeelsleden op stel en sprong had zien vertrekken – zei: 'Als je een moersleutel kan vasthouden verdien je daar het dubbele van wat je nu verdient.' En dat blijkt voor velen voldoende reden te zijn drieduizend kilometer verderop te gaan wonen om maar te zien of en waar het olieschip gaat stranden. En dat betekent weer dat op allerlei andere plekken in bijvoorbeeld BC, de meest westelijke provincie van Canada, bedrijven de grootste problemen hebben hun personeelsbestand op peil te houden. Monteurs vertrekken, maar ook heel veel mensen die anders hier in winkels zouden werken, in de horeca, in serviceverlenende beroepen. Er zijn al winkels en snelvreetgelegenheden die gedwongen zijn te sluiten omdat er gewoon geen personeel meer is. Dan heeft de oilsand-luchtbel – of de *oil-boom* dat kan natuurlijk ook – wel heel grote gevolgen.

Aan de andere kant, toen wij gisteren vijf straten verderop in Vancouver zaten te eten bij een fantastisch Afghaansig restaurant, werden we bediend door een Ierse jongedame die hier op goed geluk naartoe gekomen was en binnen een week een baantje had. Omdat haar voorgangster nu biefstukken staat te bakken ergens in Alberta, voor mannen met een *hardhat* op en olieresten aan de vingers.

De zon schijnt, Vancouver geniet, we eten en drinken. Soms denk ik dat het allemaal nog goed zou kunnen komen met de wereld, soms hoop ik alleen maar dat onze kinderen zich zullen weten te redden.

George

'*So George, you're going to the World Championships?*'

'*The United States will work together with its allies to make the world a safer place!*'

'*Sure, but this is soccer. Football.* Voetballen, *as we say...*'

'*Exactly, soccer, potatoe, Disneyland, cocaine... I know a lot of words in English. I've actually played soccer, with Jeb, my brother, or "the next president" as we like to call him. I've eaten potatoes, I've been to Disneyland, I've snorted... nooo, I've never snorted cocaine, never, that is to say, never in the seven years before I was inaugurated, and that's all they asked about!*'

'*George... how do you reckon the chances are for Team USA. In Germany?*'

'*Well... Germany has always been one of our allies, well, not always, but they became our ally after the Allies bombed them to a rubble. And I do think this is not a time to look back, it's a time to look forward, together with all peaceloving peoples of the world, we can work together for freedom, we can defeat terrorism, we can hunt them down, we can smoke them out of their holes, hell, we can even ask Dick Cheney to go hunting with them!*'

'*But...*'

'*You know, I would like to apologize for some of the things I said, things that might be interpreted wrongly in some parts of the world, such as the Czech Republic and Ghana and Italy, countries that are our allies in the war on terror, so that we can work together for freedom, for prosperity, for...*'

'*George, soccer! These countries are your enemy, in Germany!*'

'Yes... well, you know, in any war there will be casualties, in any omelet there will be pieces of eggshell, in any Idols-competition there will be people who just cannot sing. We will go to Germany, we will send as many troops over as is necca... nessi... necsesa... needed, the people of Germany will welcome us as the liberators that we are. And should we come across insurgents, be they from Ghana, be they from Czechia or any other place, we will hunt them down and bring 'm to justice!'

'Will it be a square and fair fight, George?'

'Listen, there have been reports in the liberal press about mister Sepp Blatter being paid by the CIA, there have been reports about 95 percent of all referees at the World Cup actually being employed by Halliburton, which could interfere with so called "fair", but I will tell you this: this is not a time for criticism, this is not a time for free speech, this is not a time for the so called truth, we have to stand together, 9/11 changed everything, we will be victorious! Let freedom ring!'

Zidane

Wanneer is een belediging ernstig genoeg om een volle kopstoot op de borstkas uit te delen?

Als het over je geslachtsdelen gaat?

Als het te dicht bij de waarheid zit?

Een combinatie van de voorgaande twee?

Als de suggestie wordt gedaan dat je zus/je vrouw/je moeder
werkzaam is of zijn in de prostitutie?

Als een van hen wordt afgedaan als goedkope hoer, straat-
hoer, portiekhoer, gratenkut wellicht?

En wat te doen als, zoals in mijn geval, je zus inderdaad
prostituee is, omdat dat nou eenmaal het carrièreadvies was
wat ze na vier klassen mavo in ruim zeven jaar van haar decaan
kreeg. Waarna ze – zoals dat heet – de daad bij het woord voeg-
de en met 150 gulden thuiskwam. Dan kan ik toch geen kopstoot gaan lopen uitdelen als mijn tegenstander melding
maakt van haar beroepskeuze. Wat in mijn geval toch al niet
verstandig is, ik bedoel, het staat wat loserachtig als je vol een
kopstoot geeft en dan zelf knock-out gaat.

Ik ben dan ook meer van de antwoorden, de ad remme reacties, de lolligheden. Zoals ik het al heel grappig vond dat Zidane toen Matenaaiski weer eens aan zijn shirt liep te hangen tegen hem zei: 'Als je mijn shirtje zo graag wilt hebben kan je het
na de wedstrijd wel van me krijgen.' Mataglapski vond dat achteraf superarrogant, waaruit maar weer blijkt dat Italianen
meer van haarverzorgingsproducten weten dan van humor.
Plus ze hebben allemaal een kleine blauwe piemel en hun

moeders... sorry. Moeders zijn heilig, daar blijf je vanaf, behalve natuurlijk als ze prostituee zijn, dan mag je er wel aankomen maar alleen nadat ze 75 eurootjes van je gekregen heeft. En de moeder van Matenazi is overleden toen hij nog heel jong was, dus dat is zeker geen hoer. Waarbij het feit dat veel prostituees jong sterven omdat het zo'n fukking zwaar beroep is als toeval gekenschetst moet worden.

Net zoals het toeval is dat Zidane Arabisch bloed heeft en sommige islamitische terroristen ook. Hetgeen echt alleen van belang is als ze daarnaast ook nog eens uit een land komen waar de vs geen vriendschaps- en oliebanden mee onderhoudt. Plus als ik het goed begrijp zitten alle terroristen allang in Guantanamo Bay en kende Matterazzia het woord terrorist niet eens. Kijk, dat vind ik nou schokkend: sinds vier jaar draait de hele wereld om terreur en de strijd daartegen, maar er blijkt nog iemand in een behoorlijk ontwikkeld Europees land te bestaan die het woord terrorist niet kent en geen idee heeft wat het betekent. Sjeezus, wat moet die Mesinjerugski hard aan het trainen zijn geweest, de afgelopen vier jaar, dat-ie dat allemaal gemist heeft.

Maar goed, in geval van belediging meteen terugbeledigen en dan na afloop vertellen wat er gezegd is. Zoals de Afrikaanse cricketer tegen de Australische tegenstander: de Australiër riep net voor een belangrijke bat-poging: '*Hey, why are you getting so fat?*', waarop de Afrikaan antwoordde '*Because everytime I fuck your wife she gives me a biscuit!*', en aansluitend het punt maakte, of het wicket, of weet-ik-veel wat die cricketers proberen.

Een andere cricketer trouwens riep eens naar een tegenstander: '*Hey, tell me, how are your wife and my children?*' Auw. Geen runs meer, die dag, denk ik zo.

Tot slot, ik zal nooit een kopstoot uitdelen tegen iemands borstpartij, hoewel ik voor een persoonlijke belediging van Katja Schuurman aan mijn adres graag een uitzondering maak!

Vakantiebaantje

De tuinman is een tuinvrouw. Een tuinmeisje eigenlijk. En ze weet wat ze doet. Ze komt tegen elven 'mijn' tuin in gelopen, beker koffie van Pier 19 (toptent iets verderop) in de hand, vertelt dat ze de zomertuinman is die hier de vele planten en boompjes van een dorstige dood komt redden en glimlacht dan '*Sorry for disturbing your... eh...*' Ik roep gelijk dat dat geen enkel probleem is en realiseer me dat elf uur maandagochtend voor iemand met een fysieke vakantiebaan niet echt het tijdstip is om nog eens over breakfast te beginnen. Wat het overigens wel is, maar dat komt, ik werk (ook) vaak 's avonds. Dus dan mag je wat later ontbijten. Vind ik.

Een kwartier later – ik zit nu binnen want het lukt de zon vandaag aan de Sunshine Coast, British Columbia, even niet om de wolken te overwinnen – begin ik me af te vragen of ze wel helemaal weet wat ze doet. Qua water, qua tuin. Ik bedoel, ze staat al zeker acht minuten bij hetzelfde stukje bomenheg en het water sproeit en vloeit en klotst maar door. Terwijl zij in de verre verte staart, die hier aan de overkant van de weg nogal overvloedig aanwezig is. Baai, oceaan, paar eilandjes aan de horizon. Nou heb ik die invloed vaker op jonge vrouwen – kort gesprek, grapje mijnerzijds, waarna zij langdurig in de verte gaat staan staren en haar leven nooit meer hetzelfde zal zijn – maar om dat nou ten koste te laten gaan van een paar verzuipende bomen... Leuk baantje, trouwens, lijkt mij. Alle huizen hebben hier een tuin en allemaal hebben ze enige zorg en flink wat water nodig. Sta je toch lekker acht, negen uur per dag in het groen, met dat uitzicht vaak, plus de zon, meestal.

Beetje sproeien, hier en daar jas je zo'n buitenmodel schaar er-
doorheen en als je heel veel geluk hebt, tref je nog een atletisch
gebouwde jongeman van 43 die schijnbaar een levensstijl heeft
die hem in staat stelt tot half twaalf te gaan zitten ontbijten.

Goddank, ze heeft dat ene bomenhoekje nu verlaten, heeft
ook het staren opgegeven en is nu aan de andere kant van de
tuin bezig. Waar een border is en dan weet de groengevingerde
lezer genoeg. Ik heb geen idee maar het leeft en heeft ook dorst.
Een kwartiertje later is de tuin voldaan en ga ik ook maar eens
zo'n koffie halen.

Vakantiebaantje (2)

Vorige week trof ik hier een tuinmeisje, ze glimlachte naar me, verzoop mijn tuin en verdween toen weer uit mijn leven. *Nice job if you can get it.* Een paar uur later, op zoek naar een eenvoudige doch voedzame maaltijd, zag ik dat vakantiewerk ook wat anders kan uitpakken. Er is hier een dagelijks marktje langs de baai, wat groente- en fruittypetjes, sarongs en badhanddoeken en een groot bord waarop *local shrimp & prawns* wordt aangeprezen. Dat leek ons wel wat, of eigenlijk wist mijn zoontje ons ervan te overtuigen dat er niks lekkerders is dan prawns. Er stond een witte vrachtwagen, model koel-, maar er was geen middenstander te bekennen. *'The girl is inside,'* zei de man die ons net kersen en aardbeien had verkocht. Inside... natuurlijk. Daar zat ze, helemaal achter in die laadbak (voorin dus eigenlijk), op een klapstoeltje, dik boek, grote vrieskist ernaast. Verder niks. Leeg, wit, heel wit. Bleek meisje, witte vrachtwagen, witte vrieskist, vage lucht van visachtigen. En wij aten 's avonds een heerlijke pasta met grote garnalen en tomaten en courgette. Waarna ik droomde van mijn zwaarste vakantiebaantje ooit. Zomer 1992. Het abattoir. Het slachthuis. Amsterdam-Oost. Ik wist al jaren dat er iets met levend vlees gebeurde want als ik mijn krantenwijk daar volbracht en het was benauwd warm en de wind stond verkeerd, rook je in de hele Indische Buurt een lucht waar je niet blij van werd. En die koeien, schapen en varkens al helemaal niet, denk ik. Maar daar mocht ik vier weken achtereen aan het werk. Als schoonmaker. Want waar geslacht wordt vallen spetters. Bloed vooral. Plus wat andere resten van een uurtje eerder nog levende wezens.

Ik werd geacht om zeven uur te beginnen – dat lijkt vroeg en is het ook wel, maar de slachters begonnen om vier uur, dus na drie uur was er wel enige behoefte aan sop en schrobber, aan mij dus. Gehuld in een vaalwitte overall maakte ik mijn rondje over het terrein, langs slachtplekken en vriesruimtes (het was een warme juli, de overgangen waren enorm), veewagens, een stevig omhekte plek waar de new arrivals stonden te wachten op de dingen die zeker zouden gaan komen (beeeh, boeoeh) en zo nu en dan een container vol schapenblazen. En als de stoere mannen in de kantine gingen lunchen – broodjes warm vlees liepen het best – ontsnapte ik naar een parkje in de buurt, at bruine boterhammen met kaas en las mijn boek.

Eendaagse

Normaal gesproken zouden vandaag de vele, vele wandelaars binnenkomen over de Zevenheuvelenweg en dan zo door naar Nijmegen, 30, 40 of 50 kilometer onder de zolen, net als de drie voorgaande dagen... vier dagen wandelen, fantastisch, als je ervan houdt. Zelf pel ik nog liever mijn voorhuid af met een roestige kaasschaaf – uit solidariteit met Israël, vanzelfsprekend – maar er zijn ook mensen die gek zijn op wandelen.

Maar het was te warm. Veel te warm. Plus Ronnie Tober liep mee. Weet ik uit zijn weblog, waar ik u toch even een stukje uit wil citeren:

'Overdag kreeg ik vele telefoontjes en sms'jes om mij veel succes te wensen van o.a. Nico Nieuwenhuijs, Vivian Boelen, Karin van Kempen, Willibrord Frequin, et cetera. Geweldig te weten dat zoveel mensen aan mij dachten en mij steunden. Hartstikke bedankt allemaal.' Tuurlijk Ronnie, maar wie in hemelsnaam is Karin van Kempen, laat staan Nico Nieuwenhuijs, en hoe hard zou u lopen als je wist dat Willibrord Frequin je nummer had...

'Groot was mijn verbazing om kort voor de finish een telefoontje te krijgen van de perschef van de Vierdaagse die een bericht wilde controleren.' Ik vind perschef altijd een beetje vies woord, iets als hoofd ontlasting of anaalmanager, maar goed, daar kan Ronnie natuurlijk niks aan doen... Er werd namelijk gesuggereerd dat ik had besloten om te stoppen. Maar niets is minder waar en mij werd verzocht naar het perscentrum' – nee lekker een perscentrum, vul zelf even in hoe dat er in mijn vunzige fantasie uitziet, en hoe dat ruikt... – 'te komen.

Dus nadat ik de eindstreep had gehaald heb ik op het perscentrum laten weten weer klaar te zijn voor de start van morgen.

Maar helaas is mijn eerste Vierdaagse maar van korte duur geweest. Iedereen weet inmiddels waarom. Ik blijf nog wel een paar dagen in de regio Nijmegen en zoals het ernaar uitziet zing ik morgen "De Wandel Express" nog wel een paar keer op de Waalkade en in de Hertogstraat.'

Kijk, da's Ronnie, hij blijft zingen, maar waarschuwt wel van tevoren.

En toen zag ik *de Gelderlander* van donderdagochtend: Met de kop JANSEN: 'IK GA DOOR'. Fuk, heb ik weer, mijn familie zit er weer in, het voormalige debiele neefje Wim heeft zich weten op te werken tot marsleider van de Vierdaagse, en zegt nu dingen als we waren 'wel degelijk' op de hoogte van de juiste weerberichten, maar we zijn verrast door de 'niet voorspelde windstilte' op dinsdagmiddag. Met dat argument heeft het bestuur zich eergisteren verdedigd tegen aanhoudende kritiek dat iedereen kon weten dat het heet zou worden.

'De totale windstilte leidde tot een hoge gevoelstemperatuur,' concludeert marsleider Wim Jansen van de Vierdaagse.

Een woordvoerder van het KNMI verbaast zich over deze verdediging. 'De voorspelling was helemaal correct. Een zwakke tot matige wind, dat kan natuurlijk lokaal variëren. Je kunt nooit per straat voorspellen.'

En dat laatste klopt natuurlijk. Sterker nog, je kunt eigenlijk helemaal niet voorspellen want het weer is net een vrouw, je hebt geen idee welke kant ze opgaat of waarom, laat staan dat je er enige invloed op hebt.

Maar goed, zo'n valse vuile onverwachte windstilte bij 34 graden, terwijl iedereen weet dat het met een beetje wind erbij gewoon als 19 graden voelt, dat is echt lullig voor Wimpie.

En dus werd de vierdaagse een eendaagse. Vind ik persoonlijk

Gibson's Landing

Awards! Refreshments! Draw prizes! En één mijl, deels heuvel-afwaarts. In Gibson's Landing, een dorp nog geen 15 kilometer van ons tijdelijke verblijf aan de Canadese westkust. Dat moest dus de plek worden waar ik mijn comeback ging maken, na vijf maanden van minder (kunnen) trainen, na ruim acht maanden zonder enige wedstrijd. Eén mijl, één mijl... dat is dus eentiende van een tien mijlen, dat kan dus niet meer zijn dan 1600 meter. En was er ooit niet eens iemand die daar minder dan vier minuten over deed? Aah, de start is om elf uur, dat is uiterst redelijk voor wedstrijden aan deze zijde van de oceaan. En dan ook nog heuvelafwaarts, grotendeels. Waarbij de eerste 400 meter het heuvelopwaartse deel moesten zijn, zagen we bij de start aangekomen. Het was tegen tienen, er was nog geen startdoek of -streep, een dame zette net een tafeltje met startnummers neer, voor het pand van de plaatselijke fitness-schuiver. Plus een grote watercooler, geen gek idee want het liep al weer aardig naar de dertig graden. Er druppelden al snel meer lopers 'binnen', nog goed dat wij (*the Dutch team*) de enige schaduwplek in de omgeving hadden gevonden. En ingenomen.

Met maatje E lang ingelopen – hoe bereid je je voor op een wedstrijd die na ruim anderhalve kilometer alweer voorbij is? – terwijl zijn vrouw R mijn kinderen onder haar hoede nam en mijn vriendin haar camera nog maar eens oppoetste.

De start was, zoals het hoort bij dit soort wedstrijdjes, een streep op de weg, een man nam min of meer de leiding (hij had de officiële stopwatch!), een dame zou het toetersignaal geven.

Ondertussen was de radioverbinding met het dorp verderop weggevallen en dat terwijl er toch een kleine dertig lopers stonden te trappelen. De jongste was zeven, mijn zoon, de oudste was achter in de zestig, was (en klonk) zeer Schots en heette Liz. Goeie naam voor een hardloopster. De *racedirector* besloot dat het tijd was, de toeter klonk en hij nam nog gelijk de kop ook. Hij wist de weg. Eén loper ging in zijn tempo mee, ik besloot er min of meer achteraan te gaan. Al snel bleek de director het best te racen, bleek ook dat ik er iets achter zou blijven, heuvel op, heuvel af, *half mile, 400 to go*, 't is voorbij voor je het weet. Althans, tegen de tijd dat je je realiseert hoe kort het eigenlijk is, ben je te laat om nog eens stevig te versnellen. Maar goed, tweede in zo'n internationale race is ook mooi, plus toen ik na 45 minuten uitlopen terug was bij de finish (water! meloen! cookies!) bleek de winnaar zijn prijzengeld met mij gedeeld te hebben. Waarna het door mijn vriendin werd omgezet in ijsjes voor iedereen die we hadden leren kennen, bij deze topwedstrijd.

En de parade, waar iedereen eigenlijk voor kwam, leek nog uren en uren door te gaan.

Zandkastelen

Aan de ene kant zwoegen hele gezinnen, plus aanhang, met grote scheppen en kleine scheppen, harkjes en plamuurmessen, emmertjes en plantenspuiten, aan de andere kant fabrieken, goed ingesmeerde kinderen, megazeesterren die eruit zien alsof het Israëlische leger er zojuist overheen is gereden op zoek naar eventuele terroristen, ertussenin staan wij. Ter deelname aan de Annual Sandcastle Competition van Davis Bay, plaatsje aan de Canadese Sunshine Coast. Zondagochtend, elf uur. De inschrijving was eigenlijk om nine a.m., 'maar dat had papa niet goed gelezen, gisteren...' We mogen meedoen. Krijgen plot 14 en zien hoe slecht we geprepareerd zijn (twee schepjes van niks, een emmertje, een vormpje, een onduidelijk plastieken hulpstuk), zien ook hoe groot onze achterstand al is op de concurrentie. Naast ons zijn SpongeBob en zijn vrienden al in zand gegoten, verderop de auto van Cars en twee wel herkenbare zeesterren en een volledige walvis (op schaal, maar toch), een stel oudere jongeren is aan een gitaar van dik twee meter begonnen, en daar... *oh my god*, een scheepswrak inclusief mast (drijfhout) en zeewier (zeewier) en octopus (zand). En wij, wij hebben nog helemaal niks, behalve dit afgezette stukje strand en nog maar twee uur de tijd. Want om 1 uur gaat de jury haar oordeel vellen. En dus moeten wij, 'Dutch team de Zandhazen', nu echt aan de slag. Mijn kinderen knielen al en graven en schuiven en overleggen, mijn vriendin coördineert maar schuift en graaft en schept net zo hard mee, ik realiseer me voor de zoveelste keer in mijn jonge leven dat ik op een plek ben waar ik weinig kan toevoegen. Even ben ik terug in vele honderden lessen handwerken en handenarbeid... nee, NEE, ik moet door... nu... hier! Ons thema blijkt 'Nederlandse folklore' te zijn, dat is gisteravond buiten mij om in gezinsverband besloten. Een klomp van anderhalve meter, een tulp van een meter, een molentje er nog bij. Onze vrienden Ria en Ernie verschijnen, 'die wisten niet dat we al om elf uur zouden beginnen'. Ik heb ondertussen voorgesteld een kort, toepasselijk gedicht naast de klomp in het zand te schrijven. Dat mag. Thinking of Holland / I see clogs on a beach / now I lost my heart / to Davis Bay / and clogs are out of reach. Prachtig natuurlijk, en onleesbaar, totdat we alle letters met steentjes hebben opgevuld. Vele honderden passanten lezen, hardop, dit stukje zandpoëzie. We winnen niet. Hadden we toch een dikke joint met echt rookeffect moeten doen!

Spiegel

Ik schreef al eerder over Amerikanen en hun omvang. Gewicht. Eetgewoontes. En kwam tot de conclusie dat er ook best veel Amerikanen niet dik zijn. Uitroepteken.

Ondertussen ben ik met enige omwegen Canada binnengereden en blijkt dat dat ook hier geldt. Althans, dat heel veel Canadezen dikker zijn dan ze denken of op een andere manier slanker uitvallen dan ze feitelijk zijn. Uit een onderzoek van Statistics Canada komen een paar erg aardige uitslagen: bijna de helft van de ondervraagden denkt dat hij in de normale Body Mass Index valt, terwijl dat in werkelijkheid maar 38 procent is; 15 procent van de ondervraagden denkt dat hij te zwaar is, terwijl dat eigenlijk bijna 25 procent is. En hoe blijken de meeste mensen hun werkelijke gewicht te rijmen met hoe ze er feitelijk uitzien: ze liegen over hun lengte (mannen) of over hun werkelijke gewicht (vrouwen). Ik vind dat briljant, je realiseren dat je een kilootje of twintig te zwaar bent, je realiseren dat dat ook wel enigszins aan je af te zien is, maar dat verklaren met 10 centimeter extra lichaamslengte.

'Ja, ik weeg bijna 90 kilo, maar goed, ik ben ook ruim één meter negentig.'

En dat je naar degene kijkt die dat tegen je zegt en dat je je afvraagt of-ie dan in een kuiltje staat of zo... 'Ruim één meter negentig, maar ik ben één meter vijfentachtig en je lijkt toch echt iets kleiner dan ik!'

'Ja, maar dat komt door de afstand, ik sta wat verder van je af, DAN LIJK IK KLEINER... DAAROM SCHREEUW IK OOK ZO! Juist.

En als een vrouw zegt dat ze een bepaald gewicht heeft ga je daar verder niet naar vragen, net zo min als naar haar leeftijd. Althans, als je verstandig bent.

De onderzoekers omschrijven deze lichaamsleugentjes als *selective forgetfulness*, dat is een beetje vergeten wat je best goed uitkomt. En zelfs als een arts naar de getallen vraagt, een arts die vijf minuten later even kan wegen meten enzomeer, komen de onware antwoorden eruit. Oftewel, mensen gaan zelf geloven in wat ze bedacht hebben. En dat is, volgens mij, een goede ontwikkeling. Geloof jezelf, fuk de spiegel!

Aldus de meest sexy columnist van Nederland.

Missing Link

Er stond een wandeling op het gezinsprogramma. Waaruit maar blijkt dat ik niks met de samenstelling van het gezinsprogramma van doen heb, want ik ben niet zo'n wandelaar. Ik vind het nogal gauw sjokken worden – omdat het langzaam gaat bijvoorbeeld, of omdat minimaal een van de deelnemers moe begint te geraken waardoor het nog langzamer gaat – en ik ben vanaf mijn geboorte tot mijn 17de levensjaar door mijn ouders over vele vele bos- en duinpaden (mee)gesleept. Dus.

Dus gingen wij die *moderate trail* lopen. *Yeah right.* Middelmatig zwaar, zou dat moeten betekenen, maar nadat ik gisteren een dorp verderop bij een Thais restaurant mijn gerechten 2-scherp had laten samenstellen (de schaal liep van 1 tot 5) en nu nog twee gevoelloze wangzakken heb, weet ik dat dingen als licht en zwaar, mild en heet, in het verre Canadese westen iets anders kunnen betekenen dan bij ons in de polder. We troffen inderdaad geen pas gemaaid bospad aan maar een 30 centimeter smal spoor, afgewisseld met wat volgens mijn waarneming toch echt meer een rivierbedding was dan een beschaafd wandelpad. Of eigenlijk een watervalbedding, want het liep natuurlijk ook nog eens met een stijgingspercentage waaraan de gemiddelde wielrenner echt niet zou beginnen zonder een fles nieuw bloed en wat zetpillen schildklierhormoon. We klommen, we daalden, we zagen bomen en varens en naaktslakken en meertjes, bessen en bramen, er waren stukken bij dat ik mijn machete echt miste en we verdwaalden. Omdat na een kilometer of drie (zeven?) elke routeaanduiding verdween en er wel tot twee keer toe een drie-sporen-sprong voor ons verscheen. Nou is mijn vriendin geograaf, dus die weet de weg. Anderzijds is ze ook Weegschaal. Legde ze me later uit. 'Ik heb de kaart in mijn hoofd en weet dus welke kant we op moeten, maar mijn gevoel zegt de andere kant. En dan ga je dus verkeerd.'

We kwamen op een *loggersroad* terecht. We kozen rechtsaf. Verkeerd, natuurlijk, maar ik heb daar geen gevoel voor. Tien minuten (?) later kwam een pick-uptruck aangehobbeld. Ik hield 'm aan. En vroeg of dit Walcoroad was. '*No*', mompelde de man vanonder zijn vunzige pet, '*this is Missing Link road*'. Kijk, dan is mijn ochtend (middag?) goed, je verdwaalt, je treft een man wiens zus ook zijn moeder is en de weg is vernoemd naar waar hij zich in de evolutie zou kunnen bevinden.

Een halfuur later vond mijn vriendin onze auto.

Beren op de weg

Wat ik zoal ben tegengekomen, in al die jaren hardlopen: honden, heel veel honden; een vos, in het besneeuwde duingebied bij Aerdenhout; een dode potvis, ergens op het Noordzeestrand; wat zeldzame roofvogels die gelukkig door mijn trainingsmaatje Ernst wel herkend werden; twee bijna-blote meneren, op een plek in het bos die niet alleen door hardlopers maar ook door (blote) opgewonden mannen werd gefrequenteerd. Van alles dus, maar geen beren. Tot nu toe. Hoewel het eerder deze zomer op twee plekken in Canada heel weinig scheelde.

Zo trainde ik een dag, zonder bril, op de weg van Penticton naar Naramata en daarna nog kilometers lang langs het werkelijk prachtige Okanagan Lake. Wijngaarden, zonbeschenen heuvels, dat meer dus, witbetopte bergen rechts van me en in de verte, een van de mooiste plekken waar ik ooit mijn magere lichaam aan nietsvermoedende passanten vertoonde. Ik liep daar níét brilloos omdat ik de schoonheid van de omgeving niet meer aankon maar omdat ik eerder die dag wel schoentjes enzoverder had ingepakt, maar mijn strakke zonnebril was vergeten. Waardoor ik dus met mijn normale bril liep, die ik al snel in mijn hand moest nemen wegens constant afzakken. Maar zolang ik netjes de rand van de weg aanhield en geen onverwachte kuilen of obstakels anderszins tegenkwam, kon me eigenlijk niks gebeuren. Het ging ook goed, ik liep 17 kilometer en werd toen door mijn gezin opgepikt en met een flesje water meegelokt naar ons tijdelijke huis. Lekker.

Maar toen we een dag later per auto dezelfde route aflegden

stond er zomaar, na een bocht als zovele, een heuse echte, niet al te kleine beer op de weg. Het precieze merk weet ik niet, maar middelgroot en wat mager en lichtbruin weet ik nog heel goed. Die had ik dus vierentwintig uur eerder ook kunnen treffen. Zonder bril. Waardoor ik 'm pas goed gezien zou hebben op het moment dat ik 'm ook was gaan ruiken. Wij remden, vier stemmen riepen 'Kijk, een beer!', de beer bleef nog even staan en verdween toen richting heuvel en volgende wijngaard.

Twee weken later, vlak bij Shuswap Lake – bergop, een hoop steenslag en insecten, met zonnebril ditmaal – hoorde ik eerst allerlei geruis in de struiken, zag verderop twee, drie grote kraaien de resten van iets doods oppikken en zag weer twee bochten later in de verte een bruine beer langs mijn pad. Dacht ik. Schrok ik. Best wel. Oké, het bleek een raar afgebroken dode boom te zijn, zoals een grote hond in de verte soms een vuilnisbak is, maar daar had ik 'de beer' toch bijna kunnen toevoegen aan mijn lijstje. En dan zijn er nog mensen die zeggen dat ze dat lopen zo saai vinden...

Springvloed

water slaat tegen de bootjes
vastgebonden op een rij
op hun rug vlak voor mij
als de vloed nog hoger komt
zijn mijn tenen voeten benen nat
het geeft niet
ik ben nergens bang voor
de avondzon zal me drogen

de gitarist van ZZ Top
stapt uit zijn pick-uptruck
fles in de hand, bijpassende vrouw
ze wagen zich over de natte losse ratelende steentjes
hij heeft een devious mind
volgens zijn T-shirt
zwart, vanzelfsprekend
zij is te vaak bedrogen

ik heb nog tien minuten hier
dan wint de bergtop van de zon
valt de schaduw
krijgt het eiland verderop zijn contouren in pastel
kleurt het water vlak voor me
weer oranje en roze
je ziet wel ik kom hier vaker
hier denk ik aan jouw ogen

als we nu
nu
nu
allebei in het water springen
zien we elkaar halverwege

Beren op de weg (2)

Ergens in Canada, ergens in de zomer, schreef ik een column over beren. Die ik al hardlopend niet, ik herhaal NIET was tegengekomen. En er zijn daar best veel beren. En je wordt geregeld gewaarschuwd voor beren en we zagen zelfs eens een beer op een weg waar ik een dag eerder nog hardliep, maar, nogmaals, GEEN BEREN.

Die column had ik beter niet kunnen schrijven. Denk ik. Nog geen week later waren we onderweg naar Vancouver en besloten we een nacht door te brengen in Harrison Hotsprings, kuuroord aan weer een mooi meer. 's Ochtends om een uur of tien ging ik een uur lopen. Aan de rand van HH begint een bosgebied, op de kaart stonden een paar trails, dat moest gaan lukken. Wat bosgrond, wat schaduw, paar klimmetjes wellicht... wat kon me gebeuren? Nou, het eerste halfuur niks. De trails waren mooi en vaak best begaanbaar, de insecten zoemden maar lieten me met rust, er waren hele stukken met dennennaalden, mijn favoriete ondergrond... heerlijk. En ik liep ook al snel een pittig tempo, zeker gezien het tijdstip (ik ben niet echt een ochtendmens en ook niet echt een ochtendloper). Op een bepaald moment nam ik een trail die me naar de voet van de bergen zou voeren. Het was het soort bospad dat je ook bij Bakkum en Castricum zou kunnen treffen, loofbos aan beide kanten, iets van een greppel links van me, stil en verlaten, een lange flauwe bocht waar ik met het van mij bekende enthousiasme in dook. En toen stond daar opeens een beer. Of nee, hij (zij?) stond er al – ik kwam er plots aan – voorovergebogen, kont in mijn richting, iets aan stukken knagend dat daar op de grond was gekwakt. Door haar (hem?), naar ik aanneem. Een halve bessenstruik, een domme vogel, een eerdere hardloper? De afstand tussen beer en mij was, ongeveer, 15 meter. Dat is niet veel, bleek toen de beer zich oprichtte en omdraaide. Donker, bijna zwart, dik twee meter groot, ogen op mij gericht. Het gekke is, achteraf, dat ik nauwelijks schrok. Ik dacht: fuk, een beer! En was binnen een nanoseconde vergeten hoe je ook alweer moet reageren... lawaai maken, of juist niet? Groot maken of juist plat op de grond gaan liggen? Hard weglopen of vooral niet hard weglopen? Maar bang, zoals ik dat soms voor een onverwachte hond ben, nee. De grote zwarte beer keek naar me, twijfelde nog even, verdween met grote stappen in het bos. *Now you see him, now you don't.* Dag beer! Ik nam in best hoog tempo de trail in tegenovergestelde richting en merkte binnen vijf minuten dat ik eigenlijk vlak bij het dorp was toen ik de beer trof. Ik maakte mijn training af, want dat doe ik eigenlijk altijd. En realiseerde me opeens dat het enige wat ik echt nog nooit was tegengekomen, al trainend, vier naaktzonnende vrouwen waren, van een jaar of vierentwintig... ECHT NOG NOOIT!

Mel G

Ik wil het graag even hebben over Mel Gibson, een soort acteur die vroeger Mad Max speelde en daarmee echt wel de grenzen van zijn intellectuele vermogens had bereikt. Later liet hij zich nog eens blauwspuiten om Braveheart te spelen, een Schotse held die ondanks ernstige hartklachten en bijgaande benauwdheid het volledige Engelse leger in de *haggis* wist te hakken.

Ondertussen is gebleken dat onze Mel een extreem conservatieve katholiek is, van het type dat de gemiddelde paus wat laks vindt omdat-ie het verbranden van homoseksuelen maar niet in de Vaticaanse Encycliek wil opnemen. De vader van Mel is zeker zo gek en onder meer Holocaustontkenner. Dat vind ik pas echt een apart slag mensen, als je jezelf ervan hebt weten te overtuigen dat een historisch feit gewoon niet heeft plaatsgevonden, dat is alsof je in Nederland neerslagontkenner bent, alsof je beweert dat de voetbalclub Veendam Champions League speelt, alsof je lid bent van de LPF en ontkent dat er daar onzin wordt uitgekraamd, alsof je Turk bent en de massamoord op het Armeense volk ontkent... o nee, dat is daar beleid. Afijn, Mel wilde niet op papa's wartaal reageren behalve met de zin 'Mijn vader heeft me nooit leugens verteld'. Yeah right, Veendam-Chelsea 3-1!

Afijn, Mel zat stomdronken achter het stuur van zijn auto – het gerucht gaat dat een liedje van Nickelback uit de boxen bonkte... verzachtende omstandigheden, edelachtbare – werd aangehouden en begon de agenten te beledigen: of het soms Joden waren, of ze wel wisten dat Joden alle oorlogen begonnen en naar ik aanneem nog een theorietje over het vermoorden van Jezus. En een agente noemde hij *sugartits*. Auw! Suikertietje, dat is nog erger dan dropkut. Denk ik.

Mel G is een antisemiet, een enge man, een homofoob, een drankorgel en een blaaskaak. *A great American, indeed.* En nog uit Australië ook. Maar voordat ik een heel werelddeel ga beledigen, onderbreek ik deze column even voor wat showbizznieuws!

Janet Jackson wil een baby adopteren. Ik herhaal: Janet Jackson wil een baby adopteren. Het lijkt me geen goed idee (dat ben ik van de familie Jackson wel gewend), maar mijn eerste gedachte in dezen was toch: kan Janet niet dat kind, dan wel die bijna-affe embryo, van Britney Spears overnemen? Ik bedoel, die volledig uit bubblegum opgetrokken nepzangeres heeft toch wel afdoende bewezen dat het moederschap niet echt haar forte is... ze scheurde al eens weg met de auto en het kindje los op de voorbank, ze liet de baby al eens uit haar goedgemanicuurde pootjes vallen toen ze probeerde met tas en baby en glas drank en mobieltje in de gereedstaande auto te stappen. En haar man, ene Kevin Federline wiens carrière tot nu toe goddank geheel aan mij voorbij is gegaan, heeft als ik het goed begrijp de intelligentie van een pannenlap en de persoonlijkheid die daarbij past. En bij Britney dus ook wel. Dus, twee problemen in één keer opgelost, Britney heeft haar handjes vrij voor waar ze de rest van haar leven aan gaat besteden en Janet heeft een baby'tje of twee zonder dat ze haar strakke lijfje hoeft te gebruiken zoals God de Heer het toch bedoeld heeft. Waarna ze, na het baren en opvoeden van een batterij kindjes alsnog zal branden in de hel, aldus dominee M. Gibson. Mooi!

Eén ding lijkt me wel heel apart, als je zomaar wordt toegevoegd aan de familie Jackson, dat mama Janet je dan even gaat voorstellen aan de rest van die familie: 'Dit is opa Joe, die mishandelde zijn kinderen, dit is oma, die hield d'r bek, dit is oom

Jermaine, die heeft in 1978 een hit gehad en ooit nog eens een duet opgenomen met Pia Zadora, dit zijn Tito en Randy en nog een van wie ik de naam niet weet, dit is tante LaToyah van wie echt niemand weet wat ze doet of kan, dit is Bubbles en daar zal je uncle Michael hebben, daar mag je vast héél vaak logeren...' Oké, ik geef toe, geen goed idee, we laten ook het volgende kind lekker bij mama Britney. Het lijkt me alleen verwarrend, voor een baby, als je merkt dat je al op je eerste verjaardag een uitgebreider vocabulaire hebt dan je moeder.

Oké, één detail nog in de kwestie-Gibson: de vrouw van Mel is net als hij Gristen, maar van een andere club dan hij. Om die reden weet Mel zeker dat zij uiteindelijk zal branden in de hel, omdat, logischerwijs, alleen zijn specifieke interpretatie van het ware geloof het echte ware geloof is. Dat lijkt me zo'n fijn argument bij echtelijke twisten, dat je, wat zij ook beweert en hoe vreselijk gelijk ze ook heeft, altijd kan roepen 'Ja, maar jij gaat eeuwig in het vagevuur met de Joden en ik ga lekker bij God de Heer op schoot, nananana!'

Slug line

Het probleem is meestal niet werken, het probleem is meestal op je werk komen. In een lange, lange rij gevormd door al die anderen die datzelfde probleem hebben. In hun auto.

In die best volle trein die vandaag precies op tijd vertrok maar helaas twintig minuten later stilstond in een verder prachtig weiland wegens draadbreuk/stroomstoring/vroege bladval. In die overvolle bus die je deelt met een hoop andere mensen die ook geen tijd hadden zich nog even af te douchen na een bezwete nacht. Of 'lopend' op die nieuwe schoentjes die inderdaad erg kek zijn maar toch ook net even te krap.

In Washington, stad in de vs waar niet alleen bizarre politiek wordt bedreven maar ook gewoon wordt gewerkt, is een systeem ontstaan waardoor elke dag weer velen op hun werk komen zonder dat daar een trein, bus of (eigen) auto aan te pas komt. De forensen, de mensen onderweg naar hun werk ergens verderop in die stad, de *slugs*, weten dat er overal in de stad plekken zijn waar ze kunnen gaan staan om opgepikt te worden door lotgenoten die wel met de auto zijn. Maar best nog ruimte hebben voor een of twee of drie mensen die ongeveer dezelfde kant opmoeten. Ofwel, je staat bij die telefooncel of bij die bushalte, je straalt uit dat je naar je werk moet (of je draagt een kartonnen bordje met je gewenste bestemming) en binnen de kortste keren stopt er iemand in het soort auto dat helaas in de Amerikaanse samenleving de norm is geworden. Groot, dus. Jammer voor milieu en olievoorraden, maar lekker als je in de *slug line* staat. Want dan kan je mee, dan is er ruimte voor je.

En het blijkt te werken. Zoals de krant hier concludeerde: *'because it's fast, cheap and flexible'*. Plus al sluggend is er een soort omgangsvormen ontstaan, zoals niet roken in de gastauto, zo min mogelijk telefoneren (dat lijkt me een lastige, eerlijk gezegd, want als je steeds gebeld wordt en elk gesprek kort houdt, kan je toch constant aan het bellen zijn...), met je fikkies van radio, airco en ramen afblijven en geen gesprekken voeren over seks, religie of politiek. Dat lijkt me toch allemaal te overleven, al was het maar omdat je als man die even niet over seks mag praten altijd nog sport hebt als reservesubject.

Ofwel, lieve Almeerders, niks A6A9, sluggen zullen jullie. Veel plezier!

Voorhoofd

Ik las laatst 'reclame is leugens aangekleed met mooie plaatjes' en dat is een mooie omschrijving. Vond ik ook toen ik 'm bedacht. De vraag is, vooral, waar je die reclame allemaal kwijt kan. Tuurlijk, de krantenpagina, de glossy tijdschriftbladzijde, de pop-up die meestal net zo snel weer wordt downgepopt. Althans, door mij. Ik heb alles al. En krijg ik de laatste zes maanden weer net even iets te veel aanbiedingen voor erectiepillen, penale vergrotingen en kruidenextracten anderszins.

De kleding van de sporter is te bedrukken (mooie naam voor een Amerikaanse wielerploeg: DRUGS'r'US), borden langs het veld natuurlijk, virtueel of niet, we genieten van blokken die tv-programma's onderbreken, posters in de bushalte. De leugens zijn overal. En de mooie plaatjes ook.

Jaren geleden liep topsprinter Linford Christie met contactlenzen met het logo van zijn schoensponsor en op menig festival lopen werkstudenten rond verkleed als blikje 'energiedrank' of mobiele telefoon. Warm baantje, maar het schuift vast heel erg goed.

Hoewel zelfs de betaling aardig kan tegenvallen, in de commercie. Keri Smith, jongedame uit Utah, bood vorig jaar haar voorhoofd aan als *advertising space*. En maakt u svp zelf een grapje over de space in het hoofd van deze (blonde) dame, ik begin er niet aan. Ze wist het plekje te verkopen aan een goksyndicaat, dat met zwarte letters de bedrijfsnaam op haar witte voorhoofd liet tatoeëren. Voor 10.000 dollar. Waarna hetzelfde bedrijf een andere dame zo ver wist te krijgen haar dochter te vernoemen naar het casino. Voor dik 15.000 dollar.

'Komt Golden Palace buitenspelen?'

'Nee, ze moet me eerst helpen Nike Air en Huismerk Super de Boer naar bed te brengen.'

Sorry hoor, ik vind het echt te weinig. Nog geen 8000 eurotjes om de rest van je leven met een casino op je smoeltje te lopen, of een kapper te vinden die je een pony weet aan te meten tot halverwege je neus. Met kijkgaten. Keri beloofde overigens het geld te gebruiken om haar zoon naar een goede school te sturen. Dus die zal later wellicht slim genoeg zijn lichaam niet commercieel te verleasen, of er tenminste een bedrag voor te vragen dat de opdrachtgever ook een beetje pijn doet. Maar ik zou het prachtig vinden als er hier en daar plekken reclamevrij blijven.

[Deze column werd u aangeboden door Pitiouyi BV – voor al uw satire!]

One I love

Soms is het leven dat al zo mooi is zomaar nog mooier. En let wel, ik zei soms. Want ik begrijp dat als je Mel Gibson bent of fan van Nickelback of lid van D66 of dik zestig jaar na dato opeens je lidmaatschapskaart van de Waffen SS tegenkomt of je vrijwillig in een Gouden Kooi gaat plaatsnemen, dat het dan echt niet allemaal meevalt. Ik bedoel, je treft wel eens iemand, ik ook, en dat je dan vraagt 'Hoe is het?' en dat zo iemand dan zegt 'Lekker!' en dat ik dan toch denk: lekker... lekker? Man, je hebt een kop als een Libanees dorp na vier weken beschietingen, je hebt een vriendin die naar broccoli ruikt, je rijdt in een auto met zo'n regenboogsticker achterop alsof die ervoor gaat zorgen dat de Here Jezus je om de files heen leidt... en dan zeg je lékker?

Maar goed, soms is het leven echt mooi. Afgelopen maandag, het was hier net dinsdag maar over tijdsverschil zal ik het gewoon nooit meer hebben, maandag dus was ik vlak bij Vancouver, in Burnaby. We kwamen van Vancouver Island waar het prachtig was, we gingen naar Seattle om ons in de *Internationale VliegVerkeersBingo-Zonder Enige Bodylotion* te storten, en we waren via Burnaby gegaan omdat daar zomaar, op een maandagavond, David Gray zijn wereldtournee afsloot. Twee maanden terug gaf hij een groots optreden op Pinkpop, waar ik vlakbij stond omdat ik 'm net daarvoor had mogen aankondigen – ik kwam op met de woorden 'Hallooo, ik ben Claudia de Brey!' en iedereen vond dat ik er fantastisch uitzag – en nu was hij na omzwervingen door Zuid-Afrika, Europa, de vs en Canada hier, in een park aan een meer met Vancouver in de verte.

We kwamen in de loop van de middag aan zodat de atleet van het gezin nog tijd had voor zijn dagelijkse traininkje. Het Deer Lake Park, waar het 's avonds zou gebeuren, bleek nog geen kilometer verderop te liggen – o wat lekker als er iemand is die zo'n reis voor je plant! – dus daar zou ik 's even door- of omheen. Vier uur 's middags, 24 graden, zon, water, riet, een *trail* kronkelend langs dat meer... soms is het leven mooi. En dan liep ik ook nog 's als een jonge God, althans, een jonge God van 43 met een paar zware trainingen in de benen. Ik passeerde twee andere lopers, een van hen riep: *'Can I borrow your legs?'* Ik riep over mijn schouder: '*It's not just the legs mate!*', en weer door. Ik bleek zomaar achter het podium langs te komen, wat hekken, in de verte een mooi buitenterras voor band en crew, daarachter het veld waar ik vanavond ook mocht staan. Ik dacht nog: ze zullen wel om vijf uur soundchecken. Het was nog rustig op het podium. Tien minuten later was ik aan de andere kant van het meer – een heuvel, flard regenwoud, pittig klimmetje – en hoorde ik toch muziek. De wind stond verkeerd maar ik herkende zijn stem, ik versnelde om snel weer in de buurt van dat podium, van die muziek te komen. De afdaling leidde me door een soort villawijkje, ik voelde de opwinding van de muziek, van lekker naar het bandje kijken, van vanavond erbij zijn terwijl al die mensen hier in hun grote, dure huizen alleen maar wat mopperen op dat lawaai in de verte in plaats ervan te genieten... Het leven is zo mooi, als je er maar oog voor hebt. En terwijl ik al genoot, van de plek, het weer, het erbij zijn, het zo makkelijk zo hard lopen, nam ik de laatste bocht terug naar het meer. En toen was mijn geluk compleet. Want toen zette de band dit in:

gonna close my eyes
gonna watch you go
running thru this life

Weer thuis

Met drie bandjes om de rechterpols mag ik doorlopen. Door het hek, links van me zie ik de tijdelijke gebouwtjes en aggregaten en podia, rechts het slootje en in de verte 'de Alpha' – het grootste podium – weggetje naar rechts en dan helemaal aan het einde, tegen weer een hek, de plek. Onze plek. Op Lowlands, elk jaar. Hoekje van het terrein, bijna onder de Python of onder welke naam dat achtbaanachtige ding met heel veel joelende mensen ook door het leven gaat, wat riet, een meertje, prachtplek! Althans, tegen de tijd dat Martin de camper daar geparkeerd heeft, het tentje ernaast heeft weten te prikken (voor het geval hij een vrouw weet mee te lokken naar onze plek... hij blijft toch hopen). In de verte horen we twee, drie bandjes door elkaar bonken, de zon schijnt, we hebben onze eetbonnen, we gaan eens kijken of de mannen van Snow Patrol ook een bordje festivalcatering aandurven...

Bijna zeventig uur later verlaten we via hetzelfde hek het terrein, de sfeer, Lowlands '06. We hebben er allebei nog een (gouden) bandje bijgescoord – voor een stukje backstage waar we anders echt niet in mochten – en M. ook nog een speciaal fotopasje zodat hij zijn werk niet hoefde te doen tussen de velen die denken dat een mobiele telefoon ook een camera is. (Laat ons allen verheugd zijn dat digitale fotografie betekent dat je de resultaten ook heel makkelijk weer weg kan gooien!) Ik heb twee keer lekker – en spannend – gespeeld, goeie bandjes gezien, 's avonds heel laat van danstent naar danstent gezwalkt en IGGY RULES, natuurlijk. Als ik zestig ben zie ik er ook zo uit, hoop alleen nog wat beter ter been te zijn.

Dinsdagochtend zit ik in de Plantage met Paul en Paul en Sonja en Jeroen en Matthijs en Giel en vele andere VARA-vrienden om uit te vinden welke prachtprogramma's vanaf 4 september wel een plekje hebben weten te scoren in de nieuwe nu-echt-helemaal-duidelijke netindeling. Losse sfeer, mooie plannen, lekkere broodjes ook.

En dan is het weer vrijdag, ben ik precies een week thuis en beklim ik een best groot podium op de Dam om, met behulp van Willeke, Deelder, Xander, Blue Men en Postman, het culturele seizoen open te blazen. Het is druk, er staan heel veel camera's, het is live... Dolf, 30 seconden!

Leucadia-Biddinghuizen

Bijna acht maanden was ik weg, waren we weg. Sabbatical, op reis, werkvakantie? *Touching base with the family* – zoals een new age-type het benoemde, ergens op Vancouver Island – zou ook kunnen, maar lijkt me toch niet.

Oké, ik wilde graag schrijven en een beetje rust, ik wilde rust om te schrijven eigenlijk en wat meer ruimte dan je hier meestal hebt. Ruimte om ons heen, ruimte in mijn hoofd. En als dat lukt, als je op plekken weet te belanden waar die ruimte is, waar die ruimte ontstaat, kunnen er, denk ik, twee dingen gebeuren. Of helemaal niks (geen inspiratie, geen zin, geen idee), met vele lege blikken in dito vertes als gevolg, of heel erg veel. De sluizen gaan open, de inspiratie vloeit als het schuimende zeewater over de uitgestrekte stranden vlak voor je, het schrijfblok en de laptop maken overuren. En wat denkt u? Er gebeurde in mijn geval heel veel. Uitroepteken. Veel meer nog dan ik van tevoren – vorig najaar – had gehoopt. Mijn bedoeling was een boek te schrijven over hardlopen en daarmee over de afgelopen 28 jaar van mijn leven. De plekken waar ik liep, de plekken waar ik loop, de pijn, de vreugde, de teleurstellingen en de uitzonderlijke momenten dat je niet loopt maar vliegt. Daarmee ben ik heel ver gekomen, geef me nog een week of zes en er is een boek. Althans, een eerste versie.

Tussendoor raakte ik soms zo in de war van de Amerikaanse maatschappij, de berichten in de krant, de mensen die ik tegenkwam, de uitbarstingen van natuurschoon of juist overconsumentisme, dat ik bleef schrijven, columns, verhalen, gedichten, liedteksten, halve grappen en driekwart invallen. Eind juli begon mijn harde schijfje te protesteren, en nu is alles geordend en is er een boek: *It is what it is*. En toen ik onlangs op het Lowlandsfestival mijn jaarlijkse optreden deed, bleek ik voldoende stof in mijn hoofd te hebben voor zo ongeveer een hele (nieuwe) voorstelling.

In februari waren we in Leucadia, klein plaatsje aan de Californische kust. Om de hoek zat niet alleen een topkoffietent, maar ook Lou's Records. Drie pandjes vol, nieuw, oud, collector's items, ramsj, dvd's, boxsets, te veel, te veel. En in een van die pandjes stond zomaar op een vrijdagmiddag Shawn Mullins te spelen. Ik herkende zijn naam, maar wie was het ook alweer...? O ja, jaren geleden een radiohit met een liedje over LA, 'Lullaby'. En nu speelde hij prachtige nieuwe liedjes, over een vrouw die mooi blijft hoe diep ze ook wegzakt ('Beautiful wreck'), over vluchten naar een plek waar je nog ruimte kan vinden ('Talking 'bout going to Alaska Blues'). Dat eerste liedje draai ik sindsdien wekelijks in mijn radioprogramma op 3FM, dat tweede liedje bleef in mijn hoofd hangen, simpele melodie, mooie tekst van verlangen. En die combinatie leverde op dat ik, twee weken voordat ik in de tenten van Lowlands werd verwacht, Biddinghuizen schreef, een tekst over dat festival, over het gevoel dat daarbij hoort, over thuiskomen op een plek waar je maar één keer per jaar komt. De tekst viel op zijn plek, eerst op papier, toen op de overvolle harde schijf en uiteindelijk aan het eind van mijn voorstellingen in de Juliet-tent.

Biddinghuizen

ik ga naar Biddinghuizen
door de polder weids en leeg
ik mag naar Biddinghuizen
omdat ik weer een pasje kreeg

ik zie in Biddinghuizen
duizend tenten felgekleurd
ik wil naar Biddinghuizen
waar het allemaal gebeurt

ik sta hier met mijn camper
op een plekje ongezien
de Python van het pretpark
wekt me 's ochtends tien voor tien
bij jullie in de slaapzak
ruikt het muffig ongezond
in de hoeken van de camping
staat een man met snor en hond

er zijn soms van die jaren
dat ik meer doe dan ik kan
van september tot eind juni
ik eindig als een oude man
maar als augustus aanklopt
ben ik uitgerust en klaar
ik wil naar Biddinghuizen
want mijn festival is daar

ik swing door Biddinghuizen
witte neger halve zool
geniet in Biddinghuizen
Arctic Monkeys Snow Patrol
je ziet haar in Biddinghuizen
jij bent dichter zij is rijm
wordt het Lowlands wordt het Highlands
breekt je hart of geeft ze lijm?

ik kreeg een stapel bonnen
catering C, kom drink en eet
met vijf zes man aan een tafel
en toch zijn we niet compleet
ik at met Paul een broodje
ik twee maltjes hij twee bier
het missen wordt niet minder
hij is dood toch is hij hier

en dan loopt het tegen achten
is de Juliet overvol
man ik sta in die coulissen
met bonkend hart en hoofd op hol
even wachten op het teken
trek maar open dat gordijn
ik hoor kreten lachen zingen
en ik weet: hier moet ik zijn

Ik ben in Biddinghuizen
niet echt trendy niet echt cool
ik moest naar Biddinghuizen
om te zeggen wat ik voel
ik ben in Biddinghuizen
waar ik jullie weer herken
kom terug naar Biddinghuizen
waar ik zijn kan wie ik ben

Not cricket

Ik heb een rare week. Dat mag je best weten. Telefoonseks, drugsgebruik, het volledig herschrijven van het CDA-verkiezingsprogramma, ik had er allemaal zin in maar het kwam er weer 's niet van.

Wel zag ik gisteren, al hardlopend langs de rand van Amstelveen – een dorp waar ik graag zo hard mogelijk langsloop omdat ik dan weer lekker snel het vliegtuiglawaai en de sfeer van dikke bolides voor overdreven grote huizen achter me kan laten – de voorbereidingen van een cricketwedstrijd. Twee teams zo te zien, en zeker de helft liep gewapend met een stoeltje naar het speelveld aan de andere kant van de sloot. Echt waar... lekker sporten, pak je stoeltje! Is natuurlijk ook wel logisch, bij cricket. Waar wedstrijden anderhalve dag duren, exclusief lunch – ik denk omdat niemand helemaal begrijpt wat ze eigenlijk aan het doen zijn, wat de bedoeling precies is, hoe je punten scoort laat staan wat die volstrekt willekeurige reeks getallen op het scorebord eigenlijk betekent. Cricket is de enige sport ter wereld waarbij je de uitslag van een belangrijke wedstrijd kan lezen zonder te weten wie er nou eigenlijk gewonnen heeft.

'Ik bedoel, da's wel lekker, al die runs, maar wij hebben meer wickets, of minder. En not out, ook nog 's een keer, en nou jullie weer!'

'Ha, witjas, wij scoorden een century!'

Ja, dan ben je uitgeluld. Of je gooit een fastball op het moment dat zij even theedrinken. Of gewoon op hun stoeltje zitten.

Bij cricket worden geen dopingcontroles gehouden omdat het een volstrekt cleane sport is, plus de kans is net even te groot dat je aan de epo gaat, dan keigoed loopt te cricketen maar zonder dat je het zelf doorhebt alleen maar punten loopt te scoren voor de tegenpartij. Want ik ga er niet van uit dat cricketers zelf wel weten wat precies de bedoeling is.

Eén keer, eind jaren zestig, is in de Engelse competitie een cricketer gepakt, qua doping. Althans, LSD. Die man stond al zes dagen non-stop op de green en dacht dat-ie een wicket was. Hij werd een jaar geschorst maar mocht blijven staan want ze kwamen net een wicket tekort. Doet me denken aan mijn oom Harm, die dacht na jarenlang gebruik van chemische bestrijdingsmiddelen op de boerderij dat-ie een kip was. Maar dat was-ie niet, hij was oom Harm. Dus die dokter zegt: 'Jullie moeten hem vertellen dat-ie geen kip, ik herhaal geen kip is!' Dus ik zeg: 'Ja, dat kunnen we wel doen maar we kunnen zijn eitjes eigenlijk niet missen.'

Goed, cricket. Er dreigt een wereld-cricket-war omdat een wellicht racistische *umpire* het Pakistaanse team beschuldigd heeft van vals spelen. Ze zouden met de bal hebben lopen klooien waardoor hij raar ging vliegen waardoor Engeland geen runs kon maken. Het gerucht dat er sprake was van een zelfmoordbal die twee meter voor het Britse slaghout explodeerde, kan ik hier overigens bevestigen noch ontkennen. Maar Pakistan staakte de wedstrijd, woedende Pakistanen gingen de straat op – dat ze daar elke keer maar weer tijd voor hebben in die landen verbaast me altijd zo – en in Islamabad is de regering in spoedberaad bijeen. En *that's not cricket, my friends.*

Het enige wat ik me nu afvraag is wat die smerige Kopenhagers afgelopen woensdag in de rust van de Champions League voorrondewedstrijd met de Ajax-bal hebben gedaan...

Terug

Als je terug bent is alles anders.

Oké, als je terugkomt is alles anders.

Schiphol is drukker, en ik vond het al druk.

Er staat een nog langere rij taxi's te hopen op dat ene gezin dat naar Steenwijk wil, die ene Amerikaan die snel naar Brussel moet.

De borden langs de A4 zijn blauwer dan ze waren.

Er is gebouwd, man, wat is er gebouwd!

Een rij enthousiast gedesignde nieuwbouwhuizen, een spiegelend kantoorpand, nieuw asfalt – gitzwart en toch glimmend – op een plek die zonder dat ik het wist heel erg aan nieuw asfalt toe was.

Wat bouwen ze toch snel!

Hoewel het station waar ik later doorheen moet op weg naar nieuwe successen nog altijd een immer uitdijende bouwput is... Hoeveel perrons gaan we eigenlijk nodig hebben, midden in de Bijlmer?

Alles ziet er anders uit.

Bomen zijn groter, er is meer gras en het is groener ook, ons achtertuintje is geëxplodeerd. Qua groei en bloei en altijd weer geboeid. Ouderkerk heeft eindelijk zijn eigen strookje Amazone.

De zwanen die ik tegenkom – fietspad, polderweg, hardlopend – zijn groter dan ooit. De leider van het zwanengezin – papa? mama? – staat blazend in het gras naast de weg en blaast, nee BLAAST. Zij, ik denk inderdaad dat het mama is, is groter dan mijn één meter vijfentachtig.

Augustus was in mijn herinnering een zomermaand, met zon en soms een wolkje, met felblauwe luchten en zwoele avonden. Augustus is, als je terugkomt na zeven, acht maanden prachtig weer, natter dan ooit.

De Lowlands-zondag eindigt dus in modder en een overvloed aan natte slaapzakken.

De ingang, hal en gangen van universiteit en hogeschool worden overspoeld met nieuwe leerlingen. En, erger nog, de hele binnenstad ook. Kuddes studenten, groepen studenten, losse verdwaalde studenten. De meesten zoeken nog een houding tussen stoer en onder de indruk, tussen *in control* en *in awe*, tussen *been there done that* en 'nu gaat het echt beginnen'.

De VVD-leider bij *Nova* beantwoordt twee keer niet de vraag maar legt twee keer uit dat Wouter Bos er echt naast zit.

De trein zit overvol. De A4 staat vast, ondanks die nieuwe borden. Het gras is gemaaid.

Als je terug bent is alles hetzelfde.

De opbrengsten van *It is what it is* worden overgemaakt naar
Sister Clare Dawson, Villa El Salvador, Lima, Peru.

Colofon

It is what it is, Afwijkende Amerikaanse observaties, van
Dolf Jansen werd in het najaar van 2006, in opdracht van
Uitgeverij Thomas Rap te Amsterdam, gedrukt bij
De Boekentuin, Zwolle

Omslagontwerp: Studio Jan de Boer
Omslagfoto: Margriet Jeninga
Verzorging binnenwerk: Ceevanwee, Amsterdam

© Dolf Jansen

ISBN 90 6005 652 3